Thomas en de Tijdmantel
De vikingen zijn terug!

In de serie
Thomas en de Tijdmantel
zijn de volgende boeken verschenen:

Een farao in de klas

***

De vikingen zijn terug!

Thomas en de Tijdmantel
De vikingen zijn terug!

Theresa Breslin

KLUITMAN

Dit boek is voor HR, en hij weet wel waarom

STICHTING NEDERLANDSE
KINDERJURY
2005

Omslagillustratie: Elsa Kroese
Illustraties binnenwerk: David Wyatt
Nederlandse vertaling: Suzanne Buis
Dit boek is gedrukt op chloorvrij gebleekt papier,
dat vervaardigd is van hout uit productiebossen.

Nur 283/G090401
ISBN 90 206 6282 1
© MMIV Nederlandse editie:
Uitgeverij Kluitman Alkmaar B.V.
© MM Theresa Breslin
First published by Doubleday,
a division of Transworld Publishers.
Oorspronkelijke titel: *Dreammaster. Nightmare!*

www.kluitman.nl

BIJ KONINKLIJKE BESCHIKKING
HOFLEVERANCIER

Als je droomt,
waar ga je dan naartoe?
Wie beslist waar de
droom zich afspeelt,
of wat er gaat gebeuren?
Ik ben de droommeester en ik
ben de baas in de droomwereld.
Volg de regels voor een mooie droom.
Want er zijn regels,
en die mogen niet
gebroken worden…

1

„Doorlopen!" schreeuwde het meisje toen Thomas bijna uitgleed voor de ingang van het huis. Ze duwde hem hard in zijn rug. „Naar binnen! Ze zijn vlak bij!"

Er klonk een bons en Thomas hoorde het geluid van versplinterend hout. Een bijl sloeg in de deur, ietsje links van Thomas' hoofd.

„Zie je wel?" schreeuwde het meisje recht in zijn gezicht. „Nou, schiet op!"

Een milliseconde lang aarzelde Thomas.

Het meisje wrong zich langs hem, zwaaide de deur open, greep zijn arm en trok hem naar binnen.

„Doe de dwarsbalk ervoor," beval ze, met felblauwe, knipperende ogen, „en help me met opa."

Thomas keek wanhopig rond. Welke balk? Dwars voor wat?

Het meisje liep naar de haard in het midden van de

kamer en hielp een oude man overeind. Ze keek naar Thomas. „Daar!" riep ze, wijzend op een houten balk die rechtop tegen de muur achter de deur stond.

Thomas tilde het stuk hout op. Onhandig wist hij het in de beugels voor de deur te krijgen.

Precies op tijd. Meteen klonk er een enorme herrie en de houten planken van de deur trilden.

„We moeten opschieten, opa." Het meisje klonk nog steeds dringend, maar vriendelijker. „De krijgers komen eraan en we moeten vluchten."

De stem van de oude man was nauwelijks meer dan gefluister. „Ja, maar waarheen, dochter?"

Thomas knikte. Hij dacht hetzelfde als de opa. Waar moesten ze naartoe om te ontsnappen?

Alsof ze zijn gedachten had gehoord, keek het meisje naar Thomas. „Jij gaat eerst," zei ze. „Maak de weg vrij naar het varkenshok."

„Varkenshok?" Thomas keek sullig. „Waar is dat?"

Thomas had niet gedacht dat ze nog harder en hoger kon gillen dan ze al gedaan had, maar haar stem had nog een paar decibellen meer in petto.

„Niet te geloven! Een varkenshoeder die niet weet waar het varkenshok is? Dáárheen!" Ze had nu haar opa's arm om haar schouders en probeerde hem te ondersteunen toen hij door de kamer strompelde.

„Een varkenshoeder!" riep Thomas. „Ik een varkenshoeder? Echt niet!" Hij sloeg zijn armen over elkaar. „Ik speel géén varkenshoeder."

„Wat?" Het meisje staarde hem aan.

Nou, ze was in ieder geval een paar seconden stil, dacht

Thomas. Waardoor hij tijd had om even na te denken. Hij haatte zulke dromen: eerst leek het of alles prima verliep en dan ineens nam je droom een soort rottige bocht en was er niets meer aan te doen. Dat zou hij deze keer mooi niet laten gebeuren. Hij had al ervaring met het zorgen dat dromen gingen zoals híj wilde. Je had er een beetje wilskracht en veel concentratie voor nodig. Thomas schudde zijn hoofd beslist. „Ik speel geen varkenshoeder," herhaalde hij.

„Maar je bént varkenshoeder," zei het meisje. „Jij bent Thomas, de varkenshoeder."

„O ja? En dan ben jij zeker een prinses?"

„Nou… ja. Ik ben Hilde, de nicht van koning Edwin." Het meisje zag er verbijsterd uit. „Maar dat weet je toch wel?"

„Ha!" zei Thomas. „Dat was te verwachten! Jij bent een prinses en het enige wat ik mag spelen, is een varkenshoeder. Ik dácht 't niet."

Hij schudde zijn hoofd. Hij zou zich niet laten dwingen. Het spelen van varkenshoeder zat absoluut niet in zijn droomplan. Toen hij net in deze vikingdroom terechtkwam, had hij besloten dat hij een belangrijke rol zou spelen. Hij zou strijden tegen de vikingen. Maar juist toen de droom begon, kreeg Thomas een ander idee. Het drong tot hem door dat het waarschijnlijk iets spannender was om zelf een echte viking te spelen, of om in ieder geval bij een echte viking-overval te zijn. En hij had het amper bedacht of hij rende hier al met dit meisje door smalle straten en steegjes in een of andere middeleeuwse stad.

Thomas keek om zich heen. Om nu in een klein krot te staan, met een oude man en een bazig meisje, achtervolgd door bloeddorstige barbaren, was absoluùt niet wat hij in gedachten had. Deze droom was uit de bocht aan het vliegen.

„Je bent gewoon wat je bent," vond Hilde. „Een varkenshoeder."

„Nee," zei Thomas. „Deze keer niet. Dit is míjn droom, dus ik ben wie ik zijn wil."

„Jouw droom?" herhaalde Hilde ongelovig. „Denk je dat dit een droom is?"

„Het is geen gewone droom," legde Thomas uit. „Normaal gesproken, als je droomt, gebeurt dat in je hoofd. Maar dankzij dit," hij hield een stukje droomzijde omhoog, „werkt het allemaal anders. Het is een stukje van de cape van de Droommeester. Door dit te gebruiken, kan ik zelf regelrecht in mijn eigen droom komen. Dit is míjn droom, dus dat betekent dat ik alleen bepaal wat er gebeurt…"

Thomas stokte in zijn verhaal. Ineens herinnerde hij zich dat de Droommeester had gezegd dat hij nooit hoofdrolspelers of gebeurtenissen mocht veranderen tijdens een droom.

„Verhalen zijn heel machtige dingen," had de kleine man hem ooit verteld. „Knoei er niet mee, want het kan uitlopen op een totale ramp. Kijk maar naar wat er met de *Titanic* gebeurd is."

„Maar dat is écht gebeurd," had Thomas geprotesteerd.

De Droommeester had daarop zijn schouders opgehaald. „Precies."

Goddank was de dwerg hier niet om tegen hem te lopen zeuren, bedacht Thomas. Met dit kleine stukje droomzijde kon Thomas het prima in z'n eentje af. Waar had hij die chagrijnige dwerg met zijn cape voor nodig?

Als hij nou eens een minuutje verlost was van dit meisje. Ze deed haar mond alweer open om iets te zeggen. Thomas stak snel zijn hand op. „Stil, totdat ik heb bedacht wat er nu gaat gebeuren."

„Anderen hebben dat al besloten!" Hilde stapte naar voren en trapte agressief een traliedeurtje open dat naar een achtertuin leidde. „Kom op nou, en help me met mijn opa."

„Wacht eens even." Thomas wilde zeggen dat de vikingen niet dom waren en dat de achtervolgers zo onderhand wel om het huis heen gelopen zouden zijn, maar hij zweeg en snoof de lucht op. Het was een vreemde, gevaarlijke geur, die zijn neusvleugels irriteerde.

Ineens klonk er een krakend geluid boven zijn hoofd.

Thomas keek omhoog. „O mijn god!"

De krijgers hadden een simpelere manier bedacht om hen uit het huis te krijgen.

„Het dak staat in de fik!" schreeuwde Thomas.

„Nou nou, dat is een verrassing," zei Hilde sarcastisch. „Wie had dat nu gedacht? Dat hebben die vikingen toch alleen maar elke keer gedaan, bij ieder dorp dat ze plunderen?"

Ze draaide zich om en keek Thomas aan. „Angst heeft je verstand vertroebeld, varkenshoeder, en ik kan niet jou én mijn opa redden. Dus, volg me terwijl ik hem naar het pad naar de rivier probeer te krijgen, of…" ze wierp een blik op het brandende dak en toen op Thomas, „... blijf hier en verbrand." Hilde bukte en wurmde zich door de kleine opening in de muur.

Thomas bleef in het midden van de kamer staan. „Nee," zei hij vastberaden tegen zichzelf. „Ik zál deze droom veranderen. Ik moet me alleen even goed concentreren."

Hij vertrok zijn gezicht en dacht zo hard als hij kon. Hier was hij goed in. Dat zei iedereen: zijn juf, vrienden, familie. Er was niet veel wat hij kon doen zonder af te gaan. Maar verhalen verzinnen was zijn sterkste kant. Zijn opa zei altijd tegen hem dat hij enorm veel fantasie had. Dus die zou hij nu gebruiken om een betere scène te verzinnen dan deze.

Na een paar seconden deed Thomas zijn ogen weer open.

Dikke rook rolde de kamer in en rode vlammen schoten tussen de balken van het plafond door. Thomas wilde zijn ogen weer dichtdoen en het opnieuw proberen, maar met een keihard gekraak brak de voordeur doormidden.

Een grote, baardige viking stond in de deuropening met een schild en een zwaard te zwaaien. Op zijn hoofd had hij een helm, een zware, metalen helm met flappen over zijn oren en een lang neusstuk in het midden. Vanuit de oogholten staarden twee ogen moordlustig naar buiten.

De viking hief zijn zwaard, brulde zijn oorlogskreet en sprong naar voren. Op dat moment kwam een deel van het brandende dak naar beneden, sloeg de viking tegen de grond en sproeide er een regen van vonken over Thomas heen.

Thomas schreeuwde en rende naar het poortje. Terwijl

hij erdoorheen dook, voelde hij een ondraaglijke, vreselijke klap tegen zijn hoofd, waardoor hij tegen het deurkozijn knalde.

„Auwww!" schreeuwde hij.

2

„Au!" Juf Marjan, Thomas' juf, schoot omhoog uit haar
stoel voor in de bus. Ze draaide zich om en hield een prop
papier in de lucht die net op haar hoofd gestuiterd was.
„Wie heeft dit gegooid?" vroeg ze streng.

In de hele bus hingen en lagen leerlingen over hun stoe-
len. Ze lazen stripboeken, aten snoep en scholden elkaar
uit.

„Huh?" zeiden de twee die het dichtst bij haar zaten.

Juf Marjan greep de microfoon. „Stilte, iedereen!" riep
ze boven het kabaal uit. „Nu," ging ze verder, toen het stil
was, „vóór we weggingen, heb ik jullie gewaarschuwd.
Als we een schoolreisje van een week naar Noorstad willen overleven, dan moet iedereen zich gedragen. Dus…"
ze hield het verfrommelde stuk papier omhoog, „heeft
iemand gezien wie deze prop heeft gegooid?"

Thomas' klasgenoten keken elkaar aan. Zelfs als ze het

gezien hadden, zouden ze niets zeggen.

„Dit kan echt niet." Juf Marjan begon door het gangpad te lopen. „Als dit projectiel de chauffeur had geraakt, had hij makkelijk afgeleid kunnen worden. Jullie zijn oud genoeg om te weten dat dat erg gevaarlijk is." Ze keek om zich heen. „Ik wil dat de schuldige zich meldt."

Thomas keek voorzichtig naar Eddie en Lisa, aan de andere kant van het gangpad. Zijn ogen waren een paar seconden eerder opengegaan en hij wist precies wie de papierprop naar de voorkant van de bus had gegooid. Hij wist ook dat er geen enkele kans was dat deze twee treiteraars, die bekendstonden als de Pestkoppen, ook maar iets zouden toegeven.

„Is niemand van plan om te zeggen wie dit heeft gedaan?" Juf Marjan stond nu naast Thomas' stoel.

Thomas' ogen vingen de blik van Lisa op. Ze keek hem aan en haar ogen vernauwden zich, alsof ze hem uitdaagde om het te zeggen. Toen verscheen er ineens een brede, gemene glimlach op haar gezicht. Ze leunde over het middenpad.

„Juf," zei ze, met zo'n zachte stem dat alleen juf Marjan en Thomas haar konden horen.

Juf Marjan boog een beetje voorover.

„Ik denk…" Lisa aarzelde.

„Ja, Lisa?" moedigde juf Marjan haar aan.

Lisa beet een paar seconden ongemakkelijk op haar lip en sprak toen op een ernstige, bezorgde toon. „Ik denk dat Thomas u wel iets wil vertellen, maar…" ze trok aan juf Marjans mouw, „misschien straks, wanneer er niemand bij is."

Juf Marjan ging weer rechtop staan. „Dank je, Lisa. Het is erg dapper van je om dat te vertellen." Ze draaide zich om en keek neer op Thomas. „Thomas, ik kan dat wilde gedoe in de bus niet toestaan." Haar mond trok strak in een rechte streep. „Zodra we zijn aangekomen in de jeugdherberg wil ik je even spreken."

Thomas hapte naar adem. Het was weer gebeurd! Hij wist dat de Pestkoppen erg goed waren in het niet-gepakt-worden voor hun getreiter. Maar nu waren ze zelfs nog verder gegaan! Zonder het echt te zeggen, had Lisa het laten lijken alsof hij de prop papier door de bus had gegooid. En nu, als hij er iets over zou zeggen, was hij een verklikker en een verrader. Wat moest hij tegen juf Marjan zeggen, als ze in de jeugdherberg waren?

De juf liep kordaat terug naar haar stoel.

Thomas keek met een rood hoofd naar buiten, langs Inez, die naast hem in slaap was gevallen. Hij had echt zin gehad in dit schoolreisje, maar nu zat hij al in de problemen voor ze zelfs maar waren aangekomen!

Thomas' juf had de microfoon weer opgepakt en las voor uit een van de geschiedenisboeken die ze had mee-gebracht.

Thomas keerde zijn rug naar Eddie en Lisa. „Pest-koppen moet je zoveel mogelijk negeren," had zijn opa hem aangeraden. „Ze krijgen er een kick van als mensen door hen overstuur raken, dus moet je hun spelletjes ver-pesten door je niet te laten opfokken." Thomas probeerde te luisteren naar wat juf Marjan voorlas.

„In de middeleeuwen leefden de mensen in constante angst voor de rovers uit het noorden, die via de zee kwamen," ging juf Marjan verder. „De vikingen waren erg goede scheepsbouwers en konden uitstekend zeilen. Ze zakten af langs de Noorse kust, op zoek naar plaatsen om te plunderen, alle dorpen en steden in brand stekend. Heel veel Noormannen kwamen in Engeland terecht en ook kwamen er hele groepen vikingen in Nederland."

Ja, tuurlijk, lachte Thomas in zichzelf, alsof ik dat niet weet. Hij trok het stukje droomzijde uit zijn mouw. Het was het laatste wat hij van huis had meegenomen, voor hij die maandagmorgen naar school was gegaan. Hij was bang dat hij het niet veilig kon achterlaten, zelfs niet in de onderste la van zijn kast. Niet als hij de hele week wegging, en zeker niet als zijn vader zei dat hij misschien Thomas' kamer opnieuw zou schilderen, terwijl hij weg was.

Thomas bekeek het stukje zijde nauwkeurig. Omdat het tegen zijn huid aan had gezeten, in zijn mouw, had het geleken of zijn droom echt was. De stof was nu vaag, het lapje zag er versleten uit.

Dat kon toch haast niet? Dat zo'n klein stukje stof de vikingdroom zo echt had laten lijken. Daar had hij zijn eigen Droommeester met zijn mantel voor nodig. Of niet soms?

Hoe dan ook, als hij daar ooit terugkwam, moest hij uitzoeken hoe het zat met dat verhaal. Zo'n pissig kind kon hij niet gebruiken, zo'n mens dat zich overal mee bemoeide, hem orders gaf en uiteindelijk de boel redde.

Hij propte het stukje stof in zijn broekzak en stak daarna zijn hand uit naar het netje aan de stoel voor hem, waar zijn stripboek in zat. Zijn hand stopte midden in de lucht en zijn ogen gingen wijd open.

Zijn vingers waren roetzwart.

Thomas deed zijn andere hand omhoog. Ook die zat vol zwarte vegen. Toen zag Thomas de mouw van zijn trui. Langzaam bracht hij hem dichter naar zijn gezicht. Er zaten piepkleine gaatjes in zijn mouw, in beide mouwen, en… en… Thomas boog zijn hoofd en keek naar beneden.

Over de hele voorkant van zijn trui zaten kleine, onregelmatige brandgaatjes… alsof er een vonkenregen op hem was neergekomen.

3

Pas later die dag, toen iedereen een bed had uitgekozen,
zijn spullen had neergelegd en in de jeugdherberg had
rondgekeken, kreeg Thomas de kans om zijn trui wat
beter te onderzoeken. Hij bestudeerde de stof nauwkeurig, waarna hij zijn pink door een van de grotere gaten
stak. Het waren duidelijk brandgaten, maar hoe kon dat
nou?

Thomas keek weer naar het stukje droomzijde. Het leek
anders, op de een of andere manier, feller van kleur… het
was bijna vloeibaar, zoals het door zijn vingers gleed. Hij
zou heel goed moeten opletten dat zijn huid niet direct
tegen de zijde aan zat op het moment dat hij in slaap viel.
Als zelfs zo'n klein stukje droomzijde zo sterk kon zijn,
dan moest hij het ver van alles zien te houden. Hij zou er
niet nog een keer bij in de buurt komen. Toen lachte hij in
zichzelf. In ieder geval niet meer totdat hij wist hoe hij

wilde dat de vikingdroom zou verlopen.

Basra onderbrak Thomas' gedachten. „Je moet bij juf Marjan komen. Ze is beneden, in het kantoor." Hij keek Thomas meelevend aan. „Ik loop wel met je mee," bood hij aan.

Thomas keek op en zag dat Eddie tegen de deurstijl leunde. Thomas stopte zijn trui en de droomzijde onder in zijn weekendtas en schoof die onder zijn bed. „Ja, fijn. Bedankt, Basra."

„Pas op voor de verbouwing," siste Eddie toen Thomas langs hem liep.

„Waar heeft hij het over?" vroeg Basra.

„Hij bedoelt dat ik hen niet moet verraden, anders verbouwt hij mijn gezicht," antwoordde Thomas. „De Pestkoppen hebben die prop papier naar juf Marjans hoofd gegooid, in de bus."

Basra gromde. „Dat had ik kunnen weten. Ze verzinnen steeds weer wat anders, hè? Ik hoop niet dat ze deze schoolreis voor ons allemaal gaan verzieken." Hij gaf Thomas een klap op zijn schouder. Ze waren bij het kantoor aangekomen. „Sterkte," wenste hij.

Juf Marjan zat achter het bureau van de manager van de jeugdherberg. „Thomas," begon ze serieus, „dingen gooien in een bus kan echt niet. We zullen de bus deze week vaak gebruiken. Ik moet dus zeker weten dat het niet nog een keer gebeurt."

Thomas voelde de bekende paniek die altijd in hem groeide als hij begon te stressen: een zenuwachtige trilling in het midden van zijn hoofd, waardoor hij niet meer goed kon denken. Hij ademde diep in en probeerde een van opa's 'paniek-onderdrukkingsoefeningen': heel langzaam aftellen vanaf elf.

„Ik heb het niet gedaan, juf," wist hij uiteindelijk uit te brengen.

„Er zijn aanwijzingen dat jij het wel hebt gedaan."

Thomas schudde ellendig zijn hoofd.

Juf Marjan zuchtte. „Wil je me dan misschien vertellen wie het heeft gedaan?"

Thomas schudde weer zijn hoofd. Zijn hersenen waren gestopt met werken. Nu kon hij niets meer zeggen, zelfs als hij zou willen. Hij had er zo'n hekel aan wanneer dit gebeurde. Zijn onhandigheid leek door zijn hele lijf te kruipen en hem te verlammen.

Juf Marjan keek naar het plafond en daarna weer naar Thomas. Ze wist dat hij zichzelf vaak in moeilijke situaties bracht, maar hij zei het wel altijd eerlijk als hij iets gedaan had. Terwijl Lisa, nu ze erover nadacht, nogal eens streken uithaalde. Wat nu? vroeg ze zich af. Wat nu?

Thomas bleef zijn juf aankijken. Het was vreselijk om zo klungelig te zijn, zo'n onhandige sukkel…

Ineens kreeg Thomas een supergoed idee. „Juf," begon hij ernstig, „eigenlijk weet u wel dat ik die prop absoluut niet gegooid kan hebben."

Juf Marjan wachtte met opgetrokken wenkbrauwen af.

Thomas glimlachte voorzichtig. „Want als ík de prop had gegooid, dan was hij mis geweest."

Het was even stil. Toen lachte juf Marjan luid. „Ja Thomas, daar heb je waarschijnlijk gelijk in. Jouw coördinatie is niet altijd honderd procent." Ze stond op. „Genoeg," zei ze nogal kortaf. „Wat je ook doet en waar je ook niet goed in bent, je bent in ieder geval geen leugenaar, Thomas Sierhuis. Als jij zegt dat je het niet gedaan hebt, dan geloof ik je. Vanavond, tijdens het eten, zal ik iedereen vertellen dat het niet meer mag gebeuren. En verder zal ik dit incident vergeten. Voor deze keer…"

Thomas verliet het kantoor.

„En nu begrijp ik ook," voegde Juf Marjan er zachtjes bij zichzelf aan toe, „wat jongedame Lisa probeerde te bereiken met haar woorden."

Na het eten en het afruimen van de tafels vertelden juf Marjan en meester Jan, die ook mee was, alles over het programma voor de komende week. Iedere dag waren er excursies, naar plaatsen zoals het Spoorwegmuseum, een museum met veel informatie over vikingen en het mannenklooster. Ze zouden zelfs een kasteel bezoeken. Morgen zouden ze een inleidende historische rondleiding krijgen en rond de stadsmuren lopen.

„En omdat jullie dan de hele dag zoveel cultuur en kennis hebben opgedaan, mogen jullie daar 's avonds over schrijven."

Meteen begon iedereen te kreunen.

„Dat klinkt als huiswerk," mopperde Vicky, die naast Thomas en hun andere vrienden op de vensterbank zat.

„En niet zo'n beetje ook," knikte Thomas.

„Het wordt vast enig," zei juf Marjan.

Een paar mensen floten haar uit. Thomas zag dat zelfs een paar volwassen begeleiders meededen.

Juf Marjan stak een hand op om de zaal weer stil te krijgen. „Nee, echt, ik meen het serieus. Ik heb een theatergroep gevonden die hier een workshop met ons komt doen. Wij schrijven het verhaal en Mats, de regisseur, zal ons helpen om er een toneelstuk van te maken. We voeren het stuk donderdagavond op, de avond voor we naar huis gaan. Leerlingen van een school hier vlakbij zijn uitgenodigd om te komen kijken."

„Moeten ze voor de kaartjes betalen?" vroeg Basra mompelend.

„Wij moeten hun waarschijnlijk betalen om te komen," lachte Thomas.

„Komen er ook audities?" riep Vicky.

„Morgen," antwoordde juf Marjan. „Morgen zijn er audities. Maar eerst moeten we een beginnetje hebben." Ze keek de zaal rond. „Wie heeft er een idee waarover we kunnen schrijven?"

„Nou eh…" Vicky dacht heel overdreven na en rolde met haar ogen naar Thomas. „Bijvoorbeeld… eh… de vikingen?"

„Ha, heel goed, Vicky!" riep juf Marjan enthousiast uit. „Dat is precies wat ik wilde gaan voorstellen en toevallig hebben we ook al een heleboel vikingspullen meegebracht. Mooi, dat is dan geregeld," zei ze vrolijk. „Jullie krijgen allemaal twintig minuten de tijd om iets te schrijven en dan is het bedtijd, want we hebben de hele dag gereisd en dat is vermoeiend. Morgen wil ik een paar goede ideeën hebben voor het stuk."

Thomas probeerde nog eens goed na te denken voor hij het lampje naast zijn bed uitklikte. Zijn schrift lag naast hem en stond al vol met krabbels. Hij schreef zijn ideeën het liefst meteen op zoals ze in hem opkwamen. Als hij probeerde om er nette zinnen van te maken, stopten de ideeën meteen. Hij was hoe dan ook niet goed in lange stukken schrijven.

Als hij in de klas iets moest opschrijven, worstelde hij altijd met zijn pen om de woorden netjes op de lijntjes te krijgen... en dan kwamen ze er toch onder terecht. Het gaf wel aan hoe slecht zijn coördinatie was. Volwassenen deden meestal iets van 'tut-tut-tut' of ze zuchtten als ze zijn schrift zagen.

Het viel Thomas op dat zijn gedachten steeds afdwaalden naar de vikingdroom die hij in de bus had. Nou, besloot hij, als hij dat verhaal ging schrijven, dan zou er heel wat moeten veranderen. Allereerst zouden alle reddingsacties en stoere daden natuurlijk door hem worden uitgevoerd en niet door die kattige meid die dacht dat ze een prinses was. Zij – hoe heette ze ook alweer? – Hilde, ja, zíj kon mooi varkenshoeder worden, of -hoedster, of wat hem betreft Kleinduimpje of zo. Thomas viel glimlachend in slaap, denkend aan Hilde die probeerde een stuk of veertig schapen bij elkaar te krijgen, waarvan er twee erg veel op Eddie en Lisa leken...

4

„De stadsmuren zijn het beste vertrekpunt voor een tocht door Noorstad."

Het was de volgende ochtend en Thomas stond met de rest van de groep onder aan een paar trappen, klaar voor hun historische rondleiding.

„We beginnen hier," ging de gids verder, „en ik zal af en toe stoppen om jullie iets interessants aan te wijzen."

De mist van de vroege ochtend hing nog in de lucht en de stenen van het kasteel lichtten op in het waterige zonnetje. Terwijl ze verder liepen, vertelde de gids over hoe de stad vroeger vaak was geplunderd door vikingen.

„Het was een drukke handelsplaats: voor bont, walrus, ivoor en andere goederen. Veel gebouwen waren van hout."

Thomas kon net de brede rivier zien.

„Je kunt je moeilijk voorstellen dat het in dit gebied

vroeger erg druk was met handelaren en natuurlijk met de bekende lange vikingschepen."

Juist niet, dacht Thomas, dat is helemaal niet zo moeilijk voor te stellen. Hij tuurde over het water, met zijn ogen samengeknepen tegen het felle licht van de duizenden reflecterende waterdruppeltjes in de lucht en op de golven. De optrekkende mist maakte het moeilijk om in de verte meer dan vage vormen te zien.

„We gaan verder," zei de gids en Thomas' groep volgde haar.

Opeens brak de zon door de nevel en Thomas stopte ademloos. Het duizeligmakende licht weerkaatste op de rivier en van de voorstevens van een stuk of tien viking-schepen. De boegbeelden van de draken bogen sierlijk, terwijl ze door het water gleden. Thomas greep zich vast aan de rand van de stenen muur.

„Vooruit, Thomas," riep juf Marjan van een afstandje. „Blijf je wel bij de groep?"

Thomas draaide zich om. Zijn groep slenterde al een eind voor hem.

„Wat is er?" vroeg ze, nadat Thomas hen had ingehaald.

„Op de rivier!" Thomas wees over de wallen. „Ik zag vikingschepen op de rivier!"

„O ja," knikte de gids. „Ze laten de praalboten een paar keer per jaar op de rivier. Vandaag zijn ze denk ik aan het oefenen." Ze leunde naar voren om het beter te kunnen zien en glimlachte naar Thomas. „Dat had je snel in de gaten, ik had ze nog niet gezien."

Thomas liep naar de rand en keek weer naar de boten. Op de rivier was alleen een toeristenboot zichtbaar. Hij kon vaag de stem van de gids via de omroepinstallatie horen. Thomas' hart sprong op. Wat had hij gezien? Of wat dacht hij gezien te hebben?

„Kom op nou, Thomas," riep juf Marjan ongeduldig.

Thomas keek snel nog even om en haastte zich daarna om weer bij de groep te komen. Bij het kasteel tolde zijn hoofd nog steeds.

„Het is zo benauwd vandaag." De gids liet hen naar binnen gaan. „We kunnen wel een flinke bui gebruiken om de lucht te laten opklaren."

In het museum was het niet veel beter. De lucht leek stroperig en het licht was wazig. De dingen leken Thomas nogal vaag, alsof ze niet goed ingekleurd waren. Zonder echt te luisteren volgde hij de persoon voor zich tijdens de rondleiding.

„Dit is de vikinghelm die een paar jaar geleden werd gevonden bij een opgraving in de buurt." Hun gids was bij een vitrine gestopt. „Hij is gemaakt van ijzer en koper, en als je goed kijkt, kun je zien dat er een naam in gegraveerd is. Niemand weet hoe of waarom hij daar begraven was."

Thomas kwam dichterbij. Hij zag de inscriptie... een paar vreemde letters... Hij boog voorover. Zijn ogen traanden en zijn hoofd draaide. Er gebeurde iets vreemds... mist dreef voor zijn ogen en daarin kon hij iets zien... de gewelfde kroon, de neusbeschermer, het ingewikkelde ontwerp... En toen voelde Thomas hoe de lucht zich om hem heen sloot. Een duizelig gevoel en... een plotseling gevoel van gevaar. Zijn keel kneep dicht en zijn hersenen leken te haperen. Wat gebeurde er? Achter het vizier vormde zich een hoofd. Het gezicht was hard, met diepe lijnen en een wilskrachtige kin. Het was het gezicht van de viking. En uit de diepe oogkassen staarden de ogen, razend van woede, hem recht aan.

„Thomas!" zei juf Marjan scherp. „Is alles in orde?"

„Ja. Nee. Ik denk het." Thomas sloeg zijn handen voor zijn ogen. „Ik weet het niet."

Juf Marjan pakte zijn arm en leidde hem naar een stoel. „Ga maar zitten, dan haal ik een glas water voor je. Het is waarschijnlijk de warmte." Ze wapperde met haar hand voor haar gezicht. „Het is hier erg benauwd."

De lichten van het museum flikkerden.

„Stroomstoring," verklaarde de gids. „De lucht is erg zwaar vandaag. Als het weer zich zo opbouwt als dit, kunnen er stroomstoringen ontstaan. Niets om je zorgen over te maken."

Een seconde erna ging het brandalarm van het museum af.

„Verdorie!" zei de gids. „Het is waarschijnlijk kortslui-ting, maar we moeten wel naar buiten. Nu!" Ze begon de groep in de richting van de deur te leiden.

Thomas kwam overeind toen juf Marjan terug kwam rennen.

„Goed," zei ze. „Jullie weten allemaal wat je moet doen tijdens een brandoefening. Denk na. Dichtstbijzijnde nooduitgang, zo snel je kunt, en we verzamelen buiten."

Bij elke stap die Thomas nam, leek de lucht nog zwaar-der en dikker te worden. Hij duwde een deur open waar-op 'Nooduitgang' stond, stommelde een paar treden af en kwam buiten in... de dikke rook die uit het huis kwam aan de overkant van de straat.

Dus het was geen vals alarm, dacht Thomas. Het museum stond echt in brand. Hij strompelde de straat in en keek om naar het gebouw. Zijn mond viel open. Het museum was er niet meer. Op dezelfde plaats stonden stallen. Thomas keek wild om zich heen. Overal was vuur en laaiden de vlammen hoog op. Hij hoorde het geluid van doodsbange dieren die opgesloten zaten in het brandende gebouw. Toen hoorde hij rennende voetstappen en het gegil van mensen.

Thomas zag een steegje en schoot het snel in. Halverwege stopte hij om op adem te komen. Hij had geen idee hoe het gebeurd was, maar hij wist honderd procent zeker dat hij terug was in de vikingdroom!

Thomas keek wanhopig rond. Wat moest hij doen? Waar kon hij heen?

Opeens hoorde hij een bekende stem.

„Donderende Thor!" schreeuwde de stem. „Wat denk je dat je in naam van negentien Noormannen aan het doen bent?"

5

„Droommeester!" riep Thomas.

Een kleine man met een rimpelig gezicht en een baard stond in de steeg. Hij stond met zijn armen over elkaar en keek woedend.

„Leg uit!" eiste hij.

„Eh... wat?" stamelde Thomas.

„Ik ben jouw Droommeester. Je kunt geen dromen hebben zonder mij. Dromen hebben Droommeesters nodig. Hoe kun je nou in een droom zijn waar ik niets van afweet? Je kunt de Droomwereld niet in en uit gaan zonder mijn hulp."

„Bedoel je deze vikingdroom? Dat is allemaal een misverstand," brabbelde Thomas. „De laatste keer dat we elkaar zagen, brak er een stukje stof af toen ik uw cape vastpakte. Ik wilde het niet gebruiken, echt niet. Toen ik op schoolreisje naar Noorstad ging, heb ik dat stukje van de cape in mijn mouw gestopt. Alleen maar om het veilig te bewaren, zodat mijn vader en moeder het niet konden vinden. Toen viel ik in de bus in slaap en voor ik het wist, werd ik achtervolgd door vikingen, rende ik een huis binnen en staken ze het dak in de fik."

„En?" moedigde de Droommeester hem aan.

„Ik werd wakker en meteen toen ik merkte dat ik een soort Droommeester in mijn eigen droom was, heb ik dat stukje droomzijde weggeborgen. Onmiddelijk. Direct," ging Thomas verder.

Een paar angstige varkens kwamen schreeuwend en krijsend de hoek om. De Droommeester greep Thomas bij een arm en trok hem aan de kant.

„Hoe ben je nu dan teruggekomen in de vikingtijd?"

„Ik weet het niet," antwoordde Thomas. „We werden rondgeleid in het museum. Alles was raar, het licht was vlekkerig en de lucht leek net stroop. Ik kon bijna niet ademhalen. Het brandalarm ging plotseling af. Ik weet niet waarom…"

„Voor het geval je het nog niet doorhad…" De Droommeester wees naar de daken van de huizen aan de overkant. „De hele stad staat in brand."

„Ja," knikte Thomas. „Híér wel, ja, omdat de vikingen alles in de hens hebben gestoken. Maar niet waar ik eerst was. Ze zeiden dat het alarm afging doordat er een stroomstoring was."

„En hoe ben je precies in deze tijdzone terechtgekomen?" vroeg de Droommeester.

„Ik weet het niet," zei Thomas. „Het gebeurde gewoon."

De Droommeester fronste zijn voorhoofd. „Dromen

gebeuren niet zomaar," zei hij geïrriteerd. „En ook niet op zo'n manier." Hij wapperde met zijn hand. „Deze droom zweeft over heel Noorstad. Ik zat lekker rustig te vissen aan de rivier en ineens kwamen er een stuk of tien vikingschepen voorbijvaren."

„Die zag ik ook!" riep Thomas uit. „Dus ik had ze niet verzonnen!"

De Droommeester keek Thomas vreemd aan. „Om eerlijk te zijn: wel dus." Hij ging snel verder, want Thomas opende zijn mond. „Daar hebben we het later nog wel over."

Hij keek Thomas weer aan en vervolgde op serieuze toon: „Deze droom zweeft in de rondte, door plaatsen en tijden. En wat zorgwekkend is: hij lijkt door te dringen tot de eenentwintigste eeuw." De Droommeester schudde zijn hoofd. „Dat kunnen we niet gebruiken. Dromen horen opgesloten te zitten in iemands hoofd. Deze lijkt te lekken. Dat is erg gevaarlijk. En…" hij tuurde door de nevel, „er is iets wat niet helemaal klopt."

Thomas keek om zich heen. Hij wist wat de Droommeester bedoelde. De geluiden van het vuur en de rondschietende vlammen waren raar en onecht.

De Droommeester draaide zich abrupt weer om naar Thomas. „Wie is er aan het droomweven?"

„Huh?" Thomas keek hem niet-begrijpend aan.

„Waar is de Droommeester van deze droom?" vroeg de dwerg. „Jij kunt het niet zijn. Je hebt dat stukje cape niet in je hand. Ik ben het niet. Mijn eigen cape hangt stil." Hij bewoog zijn pols als een stierenvechter met een rode doek. „Kijk."

Thomas zag dat de cape van de Droommeester bijna doorzichtig was.

„Er bewegen hierin geen dromen, op het moment." De dwerg keek peinzend. „Het is alsof... alsof..." De Droommeester staarde naar Thomas, en Thomas zag de angst in zijn gezicht. „Het lijkt of níémand de controle heeft. Alsof deze droom zomaar uit zichzelf voortdendert. Hoe kan dat nou?"

Thomas sloeg zijn ogen neer.

De Droommeester deed een stap naar voren en bracht zijn gezicht tot vlak voor dat van Thomas. „Ik wil dat je me héél precies vertelt wat er gebeurde toen je in slaap viel en droomde, in de bus, met dat stukje van mijn cape."

Thomas slikte. „Ik wist meteen al dat het geen gewone droom was. De droom zat niet in mijn hoofd, zoals normaal. Ik was zelf ín de droom, zeg maar. We waren op weg naar Noorstad en juf Marjan vertelde ons over de vikingen, dus..."

De dwerg knikte ongeduldig. „Ja, ja, ja."

„Nou, ik dacht dat een vikingavontuur fantastisch zou zijn, en... en... dat ik dat droommeester-gedoe eens wilde proberen."

De dwerg sloeg met zijn vuist tegen zijn eigen voorhoofd. „Je kunt dat 'droommeester-gedoe' niet zomaar 'eens proberen'! Daar heb je eeuwen training en ervaring voor nodig. En als ik zeg eeuwen, dan bedoel ik ook eeuwen, van het stenen tijdperk en de Middeleeuwen. Oké, ga door." Hij keek Thomas dreigend aan.

„Allereerst besloot ik te dromen dat ik tegen de vikingen wilde vechten. Maar dat werd een beetje saai. Wist je dat ze maar twee keer per dag aten en dan ook nog elke keer hetzelfde? En als je naar de wc moest, dan moest je het gewoon doen... waar dan ook!"

„Ter zake!"

„O ja, nou, het was dus behoorlijk saai. Daarom dacht ik dat het spannender zou zijn om een tijdje aan de kant van de vikingen te vechten, dus besloot ik dat ik het verhaal een beetje zou veranderen..."

„VERANDEREN!" blafte de Droommeester. „Je wilt toch niet zeggen dat je probeerde om het verhaal een wending te laten nemen die het zelf niet zou nemen?"

„Nou...eh... ik geloof het wel," stamelde Thomas.

„Ben je compleet gestoord?"

„Ik dacht dat het misschien wel kon werken," zei Thomas voorzichtig.

De Droommeester gooide zijn handen in de lucht. „Natuurlijk werkt dat niet! In ieder geval niet goed. Je kunt het verloop van een verhaal niet veranderen."

„Is het niet net zoiets als monteren?" probeerde Thomas voorzichtig.

„Nee, het lijkt niet op monteren!" zei de Droommeester kwaad. „Monteren is dat je stukjes uit een verhaal haalt die er nooit hadden moeten zijn en dat je er dingen aan toevoegt die ontbreken."

„Verzint een Droommeester de droom dan niet, terwijl hij al bezig is?" wilde Thomas weten. „En zo niet," ging hij vasthoudend door, „dan ben je dus niet echt Meester over de Droom, of wel soms? Dan ben je meer toeschouwer."

„Hoe durf je!" sputterde de dwerg. „Natuurlijk ben ik

Meester over de Droom. Een verhaal heeft een verteller nodig, of een schrijver. Iedereen verzint verhalen, zelfs mensen die denken dat ze dat niet kunnen. Jij ook. Om precies te zijn…" Hij sprong opzij, vlak voordat er een brandende balk van het dak viel en net naast hem sissend in een ton met water terechtkwam. „Jij hebt een heel levendige fantasie. Maar een verhaal is een verzameling van gebeurtenissen die ergens toe leiden. Het moet een begin, een midden en een eind hebben – meestal, maar niet altijd, in die volgorde. En je kunt absoluut geen zootje maken van de basiseigenschappen van een verhaal. Daar houden ze niet van. Een goed verhaal volgt zijn eigen route. Leren ze jullie dan helemaal niets op school? Ik dacht dat ze in de eenentwintigste eeuw een soort literatuur-uurtje op het rooster hadden staan. Waar gaat dat over?"

Thomas haalde zijn schouders op. „Weet ik veel."

„En wat nog erger is," ging de Droommeester verder, „is dat je het verhaal gewoon in het midden hebt verlaten en het zijn eigen gang hebt laten gaan, zonder dat je enig idee hebt waar het heen gaat en wat het gaat doen." Hij liet zich tegen de muur zakken. „We zitten in de shit. Zeven soorten shit, dubbel geroerd."

Thomas zei niets.

De kleine man kauwde op zijn baard en mompelde: „Van alle idiote, onverantwoordelijke, irrationele, onwetende ideeën die ik ooit gehoord heb…" Hij zweeg om adem te halen.

„Luister," zei Thomas snel. „Is het echt allemaal zo vreselijk?"

„Ja!" knikte de Droommeester. „Weet je hoe ze een droom noemen die uit de hand is gelopen?"

Thomas schudde zijn hoofd.

„Laat ik je dat dan maar vertellen," zuchtte de dwerg. „Wat we hier hebben, is… een nachtmerrie!"

6

„Ik heb wel eerder nachtmerries gehad," zei Thomas dapper.

„O ja? En je weet zeker nog wel hoe ze afliepen?" De Droommeester keek hem fronsend aan.

Thomas dacht even na. „Nou... meestal behoorlijk beroerd," gaf hij toe. Niet al te ver weg hoorden ze een knal van tegen elkaar slaand metaal en de geluiden van een gevecht. „Maar dat gebeurt hier vast niet." Thomas keek de Droommeester verontrust aan. „Toch?"

„Ik weet het niet," antwoordde de Droommeester. „Jij bent namelijk deze droom begonnen zonder een enkele raad of aanwijzing van mij."

„Kunnen we hem niet gewoon laten aflopen?"

„Doe niet zo onverantwoordelijk," zei de Droommeester. „Je kunt een onafgemaakt verhaal niet zomaar door de wereld laten rollen. Er kan weet ik wat mee gebeuren. Deze droom slingert overal rond en er komen al genoeg problemen van. Zie je wel?" Hij hield zijn cape omhoog en door de plooien kon Thomas het Noorstad van de eenentwintigste eeuw zien. Bussen, vrachtwagens, auto's en fietsen zigzagden door de straatjes. Kleine groepjes toeristen liepen rond.

„Wat?" vroeg Thomas.

„Kijk eens iets beter," snauwde de Droommeester ongeduldig.

Thomas keek weer in de rimpelige diepten van de droomzijde. Een bus was vlak bij hem gestopt. Een enorm grote man stond ervoor te zwaaien, met zijn armen boven zijn hoofd. Thomas tuurde nog scherper. De persoon die door het verkeer banjerde, had een maliënkolder aan en een wollen broek, met leren banden kruislings om zijn benen. Hij had zijn zwaard laten vallen en hield zijn handen tegen zijn oren; zijn ogen vielen bijna uit hun kassen van angst en paniek. Automobilisten toeterden en motorrijders schreeuwden.

Een oude vrouw liep naar het midden van de straat. Ze greep de man bij een arm en duwde hem naar de veiligheid van de stoep aan de andere kant. Daarna draaide ze zich om naar het verkeer en schudde met haar vuist. „Verkeersgekken!" riep ze.

„O, help!" zei Thomas. „Hij is geen acteur die is verkleed voor zijn rol, of wel?"

De dwerg schudde zijn hoofd. „Hij is net zo echt als de vikingschepen die je vanmorgen op de rivier zag. Jouw vikingdroom is losgeslagen en je zult er iets aan moeten doen – en snel!"

„Dit verhaal zal zichzelf dus niet redden." Thomas' opmerking was meer een conclusie dan een vraag. Door de droomcape kon hij de viking nog steeds zien, die nu omsingeld werd door een groep wild fotograferende toeristen. „De dingen raken inderdaad een beetje verward," gaf hij toe.

„Een béétje verward!" barstte de dwerg uit. „Dat is wel bijzonder zacht uitgedrukt. Dan noem je de Tweede Wereldoorlog zeker een soort ruzie? Luister, jij... jij... oelewapper, laat het eens tot je spaghettihersenen doordringen hoe ernstig dit is. Vergeet dat 'beetje verward'. Vervang het door 'bende'. Probeer 'kolerezooi'. Denk aan 'chaos'. Er is niets wat nu níét zou kunnen gebeuren. Verhalen worden gevoed door de grootste, sterkste kracht in het universum: de verbeelding."

Ineens herinnerde Thomas zich een gesprek over de toekomst dat hij met zijn opa had gehad. „De spannendste uitvindingen moeten nog gedaan worden," had opa gezegd, en hij leunde voorover en tikte Thomas zacht op zijn hoofd. „Het zit allemaal daarin, in het menselijk brein. Onthoud wat de bekende uitvinder Einstein ooit heeft verkondigd: verbeelding is alles."

„Einstein zei dat verbeelding alles is," zei Thomas tegen de dwerg.

„Ja," knikte de Droommeester. „En aangezien je het over Einstein hebt, weet je dat hij het ook precies zo bedoelde: verbeelding is A-L-L-E-S." De dwerg sprak elke letter zorgvuldig uit.

„Bedoel je... dat er geen grenzen zijn?" vroeg Thomas langzaam.

„Helemaal geen grenzen. Je verbeelding kan produceren wat er is, wat er niet is, en…" de uitdrukking op het gezicht van de dwerg werd weer angstig, „… wat er nooit mag komen."

Thomas' wenkbrauwen raakten elkaar bijna, terwijl hij hard zijn best deed om dit te begrijpen.

„We moeten een manier vinden om het probleem op te lossen," zei de dwerg bezorgd. „Anders kan dit verhaal alle kanten op gaan. En dan bedoel ik echt álle kanten. Stel, dat het op het onafgeronde verhaal van een schrijver knalt, over een hele reeks buitenaardse oorlogen. Of het stoot op een gedicht dat nog niet af is." De dwerg fokte zichzelf zo op, dat hij nu als een gek in zijn baard stond te bijten. „Klungelhoofdig joch!" schreeuwde hij.

„Het helpt echt niet als je tegen me staat te schreeuwen," merkte Thomas op. „Daardoor voel ik me eigenlijk nog beroerder."

„O, sorry, hoor," zei de dwerg. „Wat jammer dat je je door mij nog vervelender voelt. Maar als ik me niet vergis, ben jij hiermee begonnen. Weet je nog? Dus…"

„… zal ik het moeten oplossen," maakte Thomas de zin af. „Oké. Enig idee hoe?"

De dwerg draaide rond en keek in zijn cape. Daarna draaide hij terug, maar hij vermeed Thomas' blik. „Deze situatie behoeft momenteel enig nadenken," zei hij zorgvuldig.

„ Je bedoelt dat je niet weet wat je moet doen?" vroeg Thomas.

„Ik ben een strategie aan het bedenken," antwoordde de dwerg.

„O nee! Je weet het echt niet!"

„Natuurlijk wel," zei de dwerg geïrriteerd. „Ik moet het eerst helemaal uitdenken. Je moet niet zomaar opspringen en iets doms gaan doen. Maar wat ik eerst moet regelen, is door de tijdruimte schieten, die viking ophalen en hem weer terugbrengen naar waar hij door de droom is terechtgekomen, vóór een of andere eenentwintigste-eeuwse Noorstadter de alarmcentrale belt. Hoewel…" hij keek Thomas strak aan, „het lijkt erop dat het normaal is in jouw eeuw om verwarde mensen die hulp nodig hebben op straat te laten leven." Hij zwaaide zijn cape rond en verdween.

Dat is niet erg eerlijk, dacht Thomas. Het zijn de volwassenen die altijd de beslissingen nemen. Wat misschien echt nodig is, is een Tweede Kamer met kinderen.

Thomas leunde tegen de muur. Zijn benen voelden slap en zijn hoofd bonsde. Misschien ademde hij te veel rook in, maar… Hij hield zijn hand boven zijn ogen, de rook leek te zijn opgetrokken. De lucht was frisser. De zon scheen, de mist van die morgen was weg. Door de droomsliertjes heen zag Thomas juf Marjan zenuwachtig heen en weer lopen in de straat, terwijl ze namen afstreepten op een lijst. Ze zouden hem dus elk moment kunnen missen. Zoals hij zich op dit moment voelde, kon het hem niet veel schelen.

„O Thomas, daar ben je. Ik zag je niet eens." Inez keek opgelucht. „Juf, Thomas is hier, hoor," zei ze tegen juf Marjan.

„Kom op, iedereen," riep juf Marjan. „Laten we gaan lunchen."

Thomas keek achter zich naar de lange, smalle straat. Hij kon zijn droom weg zien rollen. Waar was zijn Droommeester?

„Kom nou, Thomas, hou eens op met dat gedroom," drong juf Marjan aan.

„Ik zou wel willen," mompelde Thomas, terwijl hij op een sukkeldrafje de groep weer inhaalde.

7

Meester Jan had die avond een potje softbal georganiseerd op de velden van de jeugdherberg. Thomas was nooit goed geweest in dat soort sporten, dus hij was blij dat hij het excuus had dat hij zich eerder die dag niet goed voelde, waardoor hij mocht toekijken.

Zijn gedachten bonkten onder zijn schedel. Hij probeerde te bedenken wat het beste was om te doen. Hij wist dat iemand ervoor moest zorgen dat het vikingverhaal goed afliep. En die iemand was hij, zonder enige twijfel. Maar de Droommeester had gezegd dat Thomas helemaal niets mocht doen voordat híj bepaald had wat er ging gebeuren. Dus hij moest wachten tot de kleine man weer kwam opdagen. Nu werd Thomas onrustig, en hij wist niet waarom. De lucht was weer zo raar, er zat een soort glans overheen die pijn deed aan zijn ogen, waardoor hij naar niets of niemand kon kijken.

„Hoe bedoel je dat je hem niet kunt vinden?" riep meester Jan naar Inez. „Dat is de derde bal die in precies dezelfde bosjes is verdwenen. Is er soms een zwart gat onder die struik waar ze allemaal in terechtkomen?"

Thomas keek in de richting van de stemmen. De zon wierp lange schaduwen en hij zag Inez en Basra door het gras struinen, op zoek naar de bal. Er kwam een fijne, dunne mist opzetten uit de rivier, traag zigzaggend tussen de bomen langs het veld. Nevel van de rivier, een rookgordijn dat het geluid van de roeispanen verhulde en waardoor je de vikingschepen pas zag wanneer het al te laat was: de boten met de bewerkte houten boegen, die door het water sneden; met een plat vlak zodat ze snel en hoog het strand op konden varen. Toen sprongen de krijgers eruit met wilde kreten en afschuwelijk gebrul…

Thomas stond snel op. Lege schaduwen bewogen rond bij de oever van de rivier. Eentje ervan was duidelijk groter dan de rest, een gigantische krijger met een cape… en een helm… Terwijl Thomas geschokt toekeek, hief de schim een bijl hoog boven zijn hoofd. Vaag, heel in de verte, hoorde Thomas zijn oorlogskreet.

„We moeten ervoor gaan!" riep Thomas. Hij klonk ademloos en schor.

„Riep juf Marjan ons?" vroeg Inez. „Ik dacht dat ik iemand hoorde roepen." Dat was in ieder geval wel waar.

Basra keek op zijn horloge. „Je hebt waarschijnlijk gelijk, Thomas. Misschien is de theatergroep er al."

Gelukkig was de theatergroep er inderdaad en waren ze al begonnen om hun apparatuur en toneelattributen op te stellen op het podium in de eetzaal.

Juf Marjan was bezig een storyboard te maken: tekeningen en trefwoorden die duidelijk maakten hoe het toneelstuk zou worden.

„Pakken jullie allemaal je schriften," riep ze, „en slijp je potlood en je hersenen voor je gaat zitten. Ze moeten scherp zijn!"

Thomas rende naar boven om zijn schrift te halen en zag zijn weekendtas onder het bed. Hij opende hem, pakte zijn schrift en potlood eruit en schopte hem terug onder het bed. Hij zou nu absoluut dat stukje droomzijde niet aanraken. Niet voor de Droommeester er weer was en hem verteld had wat er moest gebeuren.

Op weg naar beneden botste Thomas bijna tegen Eddie en Lisa aan, die vlak buiten de eetzaal stonden te grijnzen. Hij liep snel langs hen. De Pestkoppen voerden weer iets in hun schild. Al dat gefluister en de hoofdknikjes betekenden meestal dat er een slachtoffer werd uitgezocht voor gemene streken en getreiter, die altijd te ver gingen.

Mats, de regisseur van de theatergroep, legde uit dat ze om de beurt hun idee voor het toneelstuk op het podium moesten komen vertellen.

Thomas keek toe en luisterde, steeds zenuwachtiger naarmate de afstand tussen de spreker en hem kleiner werd. Zijn beurt kwam dichterbij. Hij wilde ontzettend graag een rol krijgen in het stuk, maar hij wist dat hij erg slecht was in hardop lezen. Het maakte het er ook niet beter op dat Eddie en Lisa om de een of andere reden besloten hadden naast hem te gaan zitten. Dat betekende dat zij na hem moesten, zodat ze alle tijd hadden om te grinniken om wat Thomas vertelde. Ze zaten nu al tegen elkaar te mompelen, met hun hand over hun mond. Thomas kreeg het nog benauwder.

„Eddie en Lisa, stil graag!" Juf Marjan stopte met schrijven, het krijtje zweefde nog in de lucht. Ze keek de Pestkoppen strak aan. „We willen graag stilte wanneer er wordt voorgelezen. Jullie kunnen je best beter gedragen dan jullie nu doen."

Ja, vast, dacht Thomas. Hij stond op. Het was zijn beurt. Juf Marjan glimlachte naar hem en Thomas ontspande een beetje. Het ging altijd beter wanneer hij voelde dat niemand hem zat op te jutten. Hij sloeg zijn schrift open, ademde diep in, keek omlaag, was klaar om de supergoede ideeën voor te lezen die hij de avond ervoor bedacht had. „Ah… ga… ahhh," stotterde hij.

Mats trok een wenkbrauw op. „Pardon?"

„Ah… eh… niks," zei Thomas.

„Niets?" herhaalde Mats. „Echt?"

Thomas knikte en probeerde de tranen die in zijn ogen schoten, weg te knipperen. Zijn schrift was leeg. Iemand had de bladzijden waarop hij al zijn mooie ideeën had opgeschreven, eruit gescheurd.

„Vast niet, Thomas," zei juf Marjan. „Je bent altijd zo goed in het verzinnen van verhalen." Ze liep naar hem toe en pakte Thomas' schrift van hem aan. „O," zei ze toen ze de lege blaadjes zag. „O, nou ja, het maakt niet uit." Ze gaf Thomas een troostend klopje op zijn schouder. „Het geeft niet. Als je wel iets bedenkt, laat je het ons maar weten."

„Volgende!" riep Mats.

Lisa sprong op uit haar stoel en Thomas liep weg. De

grote grijns op haar gezicht maakte alles duidelijk.

„Wat is er?" vroeg Vicky, toen Thomas achter in de zaal onderuitgezakt op een stoel ging zitten.

Thomas deed zijn mond open om het te vertellen, maar er kwam geen geluid uit. Hij hoorde hoe Lisa luid en duidelijk voorlas.

„Ik denk dat er een prinses moet zijn, en misschien… misschien moet ze op de vlucht zijn voor vikingen…"

„Dat is míjn verhaal!" Thomas hapte naar adem. „Ze heeft mijn verhaal gejat!" Hij keek Vicky ontzet aan. „Ik had kunnen weten dat er iemand in mijn tas heeft zitten rommelen. Ik had hem ver onder het bed geduwd en nu stak hij onder de rand uit. Ze hebben de bladzijden uit mijn schrift gescheurd en ze overgeschreven in hun eigen schrift. Hoe gemeen zijn die lui eigenlijk?"

„Ze zijn schofterig en vals," beaamde Vicky. „Kon je je niets herinneren, wat je net tegen Mats had kunnen zeggen?"

Thomas schudde langzaam zijn hoofd. Hij kon niet helder denken als hij gestrest was. Hij staarde naar het podium met een verslagen uitdrukking op zijn gezicht.

Mats stond tegen Lisa te praten, die stralend en vrolijk de boel belazerde.

„En jij hebt zeker de rol van prinses voor jezelf in gedachten?" grapte hij.

„Ik denk wel dat ik goed voor prinses zou kunnen spelen. Ik zal mijn best doen," zei Lisa op mierzoete, slijmerige toon. Ze begon rond te schrijden over het podium, wapperend met een onzichtbare waaier.

Mats lachte. „Ik denk dat je wel wat aanwijzingen kunt

gebruiken, want ik denk niet dat prinsessen in die tijd een waaier bij zich hadden."

Aan het einde van de bijeenkomst kwam juf Marjan naar Vicky en Thomas toe en ging naast hen zitten. „Kop op, Thomas," zei ze. „Je kunt niet altijd de beste verhaalideeën hebben. We gaan morgen naar de grote tentoonstelling over de vikingen. Misschien zie je daar wel iets waar je inspiratie door krijgt."

8

„Attentie, iedereen," riep juf Marjan.

Het was de volgende ochtend en Thomas en de anderen stonden voor het museum te wachten op meester Jan, die toegangskaartjes aan het kopen was.

„Er is een gigantische rij voor de Tijdrit," zei juf Marjan, „dus gaan we naar binnen en bekijken we eerst de expositie. Ze komen ons waarschuwen wanneer wij aan de beurt zijn. Pas daarna gaan we naar het winkeltje," voegde ze er streng aan toe.

Ze gingen de trap af.

Thomas en zijn vrienden liepen rond en bekeken de antieke potten en andere huisraad. Ze zagen een nagemaakt archeologie-onderzoekslaboratorium, een paar beeldschermen en wandborden met lichtjes en cd-roms.

Thomas pakte een koptelefoon op, die naast een bord met een tijdsbalk hing, en zette hem op zijn hoofd.

„Nou, je hebt in ieder geval wel de tijd genomen om hier te komen," zei een geïrriteerde stem in zijn oor.

„Droommeester?" Thomas deed de koptelefoon half af en keek om zich heen. Er was niemand in de buurt. „Waar ben je?" vroeg hij.

„In je koptelefoon, lijkt me."

Thomas aarzelde. Hij deed de koptelefoon weer goed op. „Ik kan je niet zien."

„Zíé jij dan meestal stemmen?"

„Je kunt niet alleen maar een stem zijn," protesteerde Thomas.

„Waarom niet? Waarom moeten mensen tegenwoordig alles in hokjes indelen? Jullie zijn te analytisch, alles moet maar uitgeplozen worden. Er is geen respect meer. Dat ontbreekt eraan. Een beetje respect voor het onbekende. Vroeger waren de mensen bang."

„Bang voor wat?" vroeg Thomas.

„Nou, voor zo'n beetje alles," antwoordde de Droommeester. „Het leven was eenvoudiger. Mensen geloofden in legendes. Ze wisten wel raad met mythes en mythologie. Bij deze moderne generatie draait het alleen maar om wetenschappelijke bewijzen en de wetten van de thermodynamica. Een gewone basisdroom is niet goed genoeg meer. Ze willen bits en bytes, quasars, pulsars en sonische wc-stations."

Thomas dacht een paar seconden na. „Je bedoelt waarschijnlijk Playstations," zei hij uiteindelijk.

„Ik weet wat ik bedoel," snauwde de Droommeester. „Vroeger geloofde men gewoon. Daardoor kon ik alles doen en overal heen gaan. Ik kon op klaarlichte dag opduiken, bliksemballen gooien, en iedereen deed wat hem gezegd werd. Als je dat nu doet, word je gearresteerd. Al mijn dromen zitten vol drammerige kinderen die steeds vragen stellen."

„Dat komt waarschijnlijk door natuurkunde en scheikunde," zei Thomas hulpvaardig.

„Nat-oorkunde en schijtkunde. Vorige week nog had ik een achtjarige – een achtjarige! – die me vertelde wat ik wel en niet kon doen: 'Dit is niet logisch,' vond-ie.

'Wie heeft logica nodig?' vroeg ik.

'Ik beëindig je programma,' zei hij.

Hij bedreigde me. Echt waar. Mij! Een van de machtigste Droommeesters aller tijden. Dankzij mij bleef Doornroosje, die Schone Slaapster, zo lang onder zeil. Om maar een voorbeeld te noemen."

„Ik dacht dat Doornroosje een sprookje was," merkte Thomas op.

„Zie je nou wel?" zei de Droommeester bitter. „Nu heb ik weer een revolutionair jongetje dat denkt dat een van mijn meesterwerken een spróókje is. Een ongehoorzaam donderkopje tegen wie ik zei dat hij zich niet moest verroeren en op mij moest wachten. En doet hij dat? Nee! Ik kom terug en hij is pleite."

Thomas schudde zijn hoofd. „Dat was mijn schuld niet. De vikingdroom gleed gewoon weg en ik bleef achter in de eenentwintigste eeuw."

„Wel een geluk dus, dat ik met mijn briljante talent voor berekeningen kan voorspellen dat je onderwijzers je hier zouden brengen... na verloop van tijd."

Thomas keek rond. „Hoe lang wacht je al?"

„Hoe lang? Lang? Ongeveer drie kilometer."

„Ik bedoel, hoe lang in tijd," legde Thomas uit.

„O, ik begrijp wat je bedoelt," lachte de Droommeester. „Jullie meten de tijd niet zo."

„Hoe meet jij de tijd dan?"

„Het is onmogelijk."

„Dat snap ik niet."

„Tijd is volkomen vloeibaar. Denk eens na. Hoe lang duurt iets wat vreselijk is? Eeuwig. Hoe lang duurt iets wat prettig is? Dat is zo voorbij. Hoe lang duurt je verjaardag? Nou? En hoe lang duurt de dag vóór je verjaardag? Je gaat me toch niet vertellen dat je het idee hebt dat allebei die dagen uit evenveel minuten bestaan?"

„Natuurlijk wel," antwoordde Thomas. „Het komt doordat de ene dag spannender is dan de andere, daarom líjken ze verschillend."

„Waarom?"

„Omdat leuke dingen korter lijken en stomme dingen langer. Goede tijden lijken sneller te gaan."

„Waarom?"

„O, weet ik veel!" riep Thomas geërgerd uit.

„Gelukt!" De Droommeester lachte triomfantelijk. „En geef hier dan eens antwoord op: hoe meet je de tijd die je met je opa doorbrengt?"

Thomas kon niet antwoorden. „Die is onmeetbaar," zei hij uiteindelijk.

„Zie je wel!"

„Allemachtig!" riep Thomas.

Zijn Droommeester werd al net zo erg als andere volwassenen, wat zeuren betreft. Erger nog dan zijn zus

Laura en haar twee vriendinnen, die nog langer door konden gaan dan een internationale vredesbespreking.

„Zeg nou maar hoe ik dit verhaal moet afmaken," drong Thomas ongeduldig aan. „We moeten het stoppen voor er iets serieus misgaat."

„Er gaat al iets serieus mis," zei de Droommeester. „Dit verhaal beweegt zich buiten zijn eigen tijd en ruimte. Het begint over te stromen en problemen te veroorzaken op andere plaatsen, waardoor de tijdlijn kan verschuiven…" De stem van de dwerg werd zachter en Thomas hoorde weer een angstige ondertoon. „Je moet er een einde aan maken," zei de dwerg even later. „Voor het een einde aan jou maakt."

„Hoe bedoel je, 'voor het een einde aan mij maakt'?" vroeg Thomas.

„Ik zei het al," antwoordde de dwerg. „Omdat… het nu een nachtmerrie is. En ook al word je bij gewone nachtmerries wel weer wakker… het zou kunnen dat het je niet lukt bij deze. Als je teruggaat in de droom, in plaats van de droom weer in je hoofd te hebben, dan is er geen garantie dat je er nog uit komt."

„Als ik terugga," begon Thomas langzaam, „hoe kan ik dan een einde aan het verhaal maken?"

Er was een stilte. Toen hoorde Thomas gekraak via de koptelefoon. „Ik weet het niet precies." De stem van de Droommeester kwam van ver weg. „Je moet dat in je eentje uitdenken. Maar je moet op de juiste manier teruggaan in de droom, zoals je begon, via het stukje droomzijde. Pak de droomzijde en probeer contact te maken met de vikingdroom, op het punt waar je eruit ging. Daarna…"

Het gekraak werd luider. Het ruiste in Thomas' oren en de woorden van de Droommeester verdronken erin. Thomas deed de koptelefoon af en schudde ermee. Hij stopte meteen toen hij merkte dat iemand van het museum hem gadesloeg.

„Zijn er problemen, jongeman?" De bewaker kwam naar hem toe en draaide aan een knopje. Hij pakte de koptelefoon over en hield hem tegen zijn oor. „Zo, dat is beter." Hij gaf hem terug aan Thomas. „Hij doet het weer."

Thomas hield hem tegen zijn oor en hoorde een bandje met geschiedenisfeiten. „Dat heb ik al gehoord, bedankt," zei hij. Hij hing de koptelefoon op de standaard en liep langzaam weg.

9

Meester Jan zwaaide met de kaartjes en riep tegen ieder-
een dat ze mee moesten komen naar de ingang van de
Tijdrit. Thomas liep achteraan in de rij van de leerlingen.
Zijn hersenen draaiden op volle toeren.

Hij wist dat zijn onafgemaakte vikingdroom begon door
te lekken naar de werkelijkheid. Hij had de Droommeester niet nodig om te weten dat er rare dingen gebeurden, en – Thomas keek oplettend over zijn schouder – ze
gebeurden vooral bij hem in de buurt. Het leek bijna of de
droom hem achtervolgde, hem opzocht, zich weer aan
hem vast probeerde te klampen.

„Nu ga je terug in de tijd…"

Thomas schrok op. Wie zei dat? Voor hem stond een
vrouw in vikingkleren.

„Allemaal netjes opletten, graag," zei meester Jan.
„Deze gids wil jullie iets vertellen."

„Jullie gaan terug naar de tijd van de stad Noorstad toen de vikingen er waren. Onder de straten van de huidige stad hebben archeologen huizen ontdekt, werkplaatsen en andere resten van de stad, zoals die was in de tijd van de vikingen." De gids begon hen twee aan twee naar voren te leiden. „Wat je ziet, hoort en zelfs ruikt, is allemaal nagemaakt, om jullie een waarheidsgetrouw beeld van Noorstad in het vikingtijdperk te geven."

Ineens klakte juf Marjan met haar tong. „Het ziet ernaar uit dat Eddie en Lisa verdwenen zijn. Ik ga wel in het winkeltje kijken. Thomas, wil jij dan in je eentje in het karretje gaan?"

Thomas knikte en stapte in het achterste tijdkarretje.

De gids tikte op een televisiescherm boven haar hoofd, met een videobeeld erop van het tunneltje. „Hij blijft maar knipperen, vandaag. Het komt door die onweersbuien die in de lucht hangen. Dan gaat-ie aan en uit."

Thomas' tijdkarretje begon te rijden, nam een bocht en ging vervolgens achteruit, terug in de tijd. De eeuwen vlogen snel voorbij, tot de houten huisjes, de kleine winkels en lemen hutten verschenen. Thomas leunde tegen de veiligheidsstang van het karretje om de nagebouwde stad die verscheen goed te kunnen zien.

De straten waren vol met allerlei werkplaatsen: leerwerkers, schoenmakers en edelsmeden. Een marktkoopman stond te onderhandelen met een klant, een ander bood zijn spullen te koop aan, met vele ringen om zijn vingers en een gedraaide ketting om zijn nek. Stukken vlees hingen aan de daken en varkens duwden hun snuiten in de bergen afval die achter de huizen in hun hokken werden gegooid.

Een varkenshoeder, dacht Thomas. Dat was ik, een varkenshoeder…

Uit de beerputten en de afvalhopen kwam een zware stank die doordrong in Thomas' neusgaten. Voor een vissershut zaten een jongen en twee mannen vissen open te snijden, pratend en lachend met elkaar. Ze vertelden verhalen. Thomas hoorde fragmenten van hun gesprek, terwijl het tijdkarretje langsreed.

Nu zag hij een familietafereel, met een vrouw die haar kind knuffelde, bij het haardvuur in het midden van hun hut. Ze roerde in de kookpot; de kolen gloeiden en het vuur flikkerde.

Thomas' karretje reed verder. Het historische gedeelte was bijna voorbij. Een stukje verderop werd uitleg over de opgravingen gegeven. De kar begon de bocht op de rails te nemen.

En toen stopte hij met een schok. Hij is stuk, dacht Thomas, weer een stroomstoring. Hij wachtte. Waarschijnlijk werd er wel iets omgeroepen of kwam er iemand om hun te laten zien waar ze heen moesten. Hij tuurde in het duister. Het karretje voor hem was doorgereden, zodat hij het niet meer kon zien. Alle lichten waren uit.

Misschien moest hij maar uitstappen en naar de uitgang lopen. Hij stond op.

Precies op dat moment bewoog het karretje rammelend een stukje naar voren. Thomas greep zich vast aan de beugel, terwijl hij weer achteruit werd gereden.

In het dorp brandden alle daken, het vee schoot heen en

weer, en dikke rook steeg op naar de hemel. Mensen renden en schreeuwden, ze zaten opgesloten in de nauwe straten en stegen, zonder enige kans op ontsnapping.

Thomas draaide zijn hoofd om het beter te zien. Die speciale effecten waren geweldig! Hoe deden ze dat? Het moest een of ander groot filmscherm zijn. Hij stak zijn hand uit, maar hij raakte niets.

En op dat moment drong het gevaar tot hem door. Ineens wist Thomas dat wat hij zag, echt was. Of het was echt geweest en misschien was het nog wel echt. Ergens in de tijd en de ruimte was dit gebeurd... was... of gebeurde het nog steeds.

Hij kon alleen maar toekijken hoe de krijgers plunderend door de stad trokken. Vlak naast hem werd een man neergeslagen. Thomas hoorde hem kreunen – zijn ketting werd van zijn nek getrokken.

Verderop in de straat werd een kind opgepakt, over de schouder van een viking gegooid, om als slaaf te worden meegenomen. Thomas kon niets doen, maar hoorde en zag alles wat er gebeurde. Hij zat er middenin, maar maakte er geen deel van uit. De brandende daken verdwenen in dikke wolken grijze rook, geschreeuw galmde in zijn oren. De geur van angst kwam in zijn neusgaten. Hij voelde de paniek van de dieren in de brandende gebouwtjes.

In de verte zag hij twee mensen wegvluchten: de ene klein, jong... een meisje, met een oude man. Allebei probeerde ze wanhopig om hun belagers voor te blijven. En net toen Thomas begreep wie ze waren, zag hij de oude man struikelen en vallen...

„Verstop je!" Thomas strekte zich uit, maar zijn hand en zijn arm bewogen door alles heen alsof ze doorzichtig waren. Dit leek wel een nachtmerrie – het wás een nachtmerrie.

Thomas gleed achteruit in het stoeltje. Er klonk een bons en het karretje stopte. Een medewerkster van het museum gaf hem een hand om te helpen bij het uitstappen. Ze wapperde met haar hand voor zijn gezicht en lachte naar hem.

„Ik kan zien dat je ervan genoten hebt," zei ze. „Je kijkt helemaal glazig!"

Thomas liep in een waas langs de vitrines naar het winkeltje. Hij moest terug. Nu wist hij het zeker. Na dit soort scènes kon hij zijn verhaal onmogelijk in de steek laten. Later, vanavond, na het oefenen met de theaterwerkgroep, zou een goed moment zijn om het stukje droomzijde te pakken en het te proberen. Wat hij niet wist, was of hij het alleen moest proberen, of dat de Droommeester er zou zijn om hem te helpen het verhaal uit te werken.

10

„Een verhaal," vertelde Mats, „een goed verhaal heeft bepaalde elementen. En dankzij verhalen kunnen we dingen leren over het leven."

Het was avond, na het eten, en de mensen van de theatergroep werkten met Thomas en zijn klasgenoten aan het vikingverhaal. Mats zat op het podium en ze bespraken hoe ze hun ideeën konden gebruiken voor een verhaal.

„De manier waarop een verhaal is opgebouwd, kan je iets leren over logica, wetenschap en filosofie. Ik zal proberen uit te leggen wat ik bedoel," zei hij. „Stel je voor dat dit een verhaal is over een bewolkte dag... en al snel begint het te regenen. De hoofdpersoon in je verhaal opent dan misschien een paraplu, doet een paar regenlaarzen aan en gaat naar buiten om in de plassen te stampen. Dat is heel simpel en wordt in veel boeken gebruikt. Het vertelt je ook iets anders: hoe dingen gaan. Regen is nat en daardoor ontstaan plassen."

In de tussentijd had juf Marjan op het bord snel een rij tekeningetjes gemaakt, van regenwolken, plassen, een paraplu en een paar laarzen.

„Iets anders waar je op moet letten, is de volgorde van de dingen." Hij wees naar de bovenkant van het bord. „Eérst is er regen, dan de plu en de laarzen en daarna pas het plassen-stampen – niet andersom." Hij grijnsde. „Lach niet! Ik weet dat het kinderachtig klinkt, maar de dingen op een rijtje krijgen, is een belangrijke basis. Veel mensen vergeten dit wanneer ze verhalen vertellen of schrijven. Het verhaal moet zich naar voren bewegen, en de manier waarop het beweegt moet kloppen... Zijn er al vragen?"

Thomas stak zijn hand op. „Bedoel je dat een verhaal niet zomaar z'n gang kan gaan?"

Mats dacht even na. „Ik denk dat als je het gewoon z'n gang laat gaan, een verhaal misschien nooit afkomt. Als ik een verhaal schrijf, heb ik een soort schema nodig, anders loop ik vast." Hij wees naar de onderkant van het bord, waar hij tijdens de bijeenkomst van de vorige avond aantekeningen had gemaakt. „Het is altijd handig om dingen op te schrijven. Dit zijn al jullie ideeën. Nu zullen we eens kijken wat voor verhaallijn erin zit." Hij pakte een krijtje en begon de aantekeningen door te nemen.

Terwijl Mats schreef, dacht Thomas diep na. Dit was hetzelfde als waarover de Droommeester zat te zeuren. Zijn vikingdroom moest vooruit. Op het moment stond hij stil. Elke keer als Thomas een stukje van de droom opving, zag hij dezelfde gebeurtenissen – de brandende gebouwen, het vuur – alsof het in een eeuwig ronddraai-ende cirkel zat.

„Natuurlijk moeten we de spontaniteit niet verliezen, de charme, de uitnodiging." Mats' stem drong door tot Thomas' gedachten. „Een verhaal kan zichzelf creëren ter-wijl het bezig is en dat gebeurt wanneer de belangrijkste factor aan het werk is..." Hij keek rond in de zaal. „Heeft iemand een idee wat ik bedoel?"

„Fantasie," bracht Thomas naar voren. „Verbeelding is alles."

Juf Marjan keek hem met een stralende glimlach aan. „Mooi gezegd, Thomas."

„O, dat was niet van mij," zei Thomas snel. „Dat is ooit gezegd door Einstein, eigenlijk."

„En verder moet het onderhoudend zijn... spannend, opwindend, misschien zelfs eng voor wie ernaar zit te luisteren," ging Mats verder. „En als het te eng wordt, kunnen we natuurlijk altijd bedenken dat het niet echt is."

„Jij misschien wel," mompelde Thomas. De verhaallijn voor het vikingtoneelstuk dat Mats schreef en tekende, was nu een verzinsel. Maar in een andere tijdruimte...

Hilde en haar grootvader waren echt in gevaar. Thomas keek naar zijn schrift, maar hij zag de woorden niet die hij die dag geschreven had. Hij herinnerde zich hoe de oude man op de grond viel, toen hij probeerde om te ontsnap-pen.

„Thomas!"

Thomas schrok op. Juf Marjan had zijn naam geroepen. „Heb je vandaag iets om voor te lezen?"

Thomas bladerde terug. Hij had vandaag een heleboel

neergekrabbeld en bovendien had hij zeer goed opgelet dat zijn schrift veilig in zijn rugzak was gebleven.

„Ik dacht dat er een gevecht zou kunnen zijn," zei hij. „En een viking die wilde proberen om met de prinses te trouwen zodat ze recht hadden op de troon. Misschien kunnen we in het verhaal een overval van de vikingen schrijven, waarbij ze een dorp plunderen en de mensen probeerden om ze af te weren. Een hoop actie, zeg maar…" Thomas klonk steeds opgewondener en enthousiaster tijdens het vertellen en allerlei extra dingen kwamen zomaar in zijn hoofd op.

Mats schreef als een gek. „Dat past mooi bij dat verhaal van Lisa, waarin ze een prinses is die achtervolgd wordt door de vikingen. We hebben meer rollen nodig, personen brengen zo'n verhaal tot leven. Ik zal de rollen verdelen aan de hand van de manier waarop jullie gisteren hebben voorgelezen. Dan kunnen jullie vandaag je rol leren en gaan we morgenmiddag oefenen."

„Het begint al vorm te krijgen," zei juf Marjan. Ze sprak zacht met Mats. „Ik zei al dat Thomas talent heeft voor dit soort dingen."

Mats knikte. „Ja, het begint heel goed te werken. De kinderen die komen kijken, zullen het prachtig vinden. En als we een legerstrijd gaan opvoeren, weet ik wel waar we meer materialen vandaan kunnen halen. In Noorstad hebben we een historisch stuk opgevoerd over de vikingen. Ik heb eerder geholpen om deze gevechten na te spelen, dus kan ik wel wapens, kostuums en extra vrijwilligers regelen voor de strijd. Als het weer goed blijft, kunnen we morgen zelfs buiten oefenen." Hij richtte zich tot Thomas. „Thomas, ik zou jou graag willen als de verteller van het verhaal."

„Mij?" Thomas kon het bijna niet geloven. „Ik?"

Mats glimlachte. „Ja, jij. Jij kunt de spelers voorstellen en het verhaal toelichten. Volgens mij kun je heel goed verhalen vertellen."

„Ik weet het niet…" aarzelde Thomas. „Ik ben niet goed in voorlezen voor veel mensen."

„Maar dat is juist het verschil. Dat hoeft ook niet. De verhalenvertellers lazen niets voor. Ze vertelden het verhaal hardop. En ze hadden er een bepaalde gave voor. Ze moesten vindingrijk en fantasievol zijn, zoals jij. De Scandinavische vertellers hadden een speciale naam. Een vikingverhaalverteller werd…"

„Een 'skald' genoemd," maakte Thomas zonder nadenken af. Hij keek Mats bevreemd aan en zei toen: „Ja… ik zal de skald zijn."

11

„Kijk eens wie we daar hebben! Als dat niet het kleine Thomasje-pomasje is!"

Thomas voelde zich op slag misselijk worden door de stem van Lisa, die hij boven alle herrie in het snoepwinkeltje van de jeugdherberg uit kon horen. Hij was net geholpen bij de kassa en draaide zich om, waardoor hij recht tegenover Lisa kwam te staan.

Ze leunde naar voren en sloeg met haar vlakke hand tegen zijn zakje snoep. „Ben je batterijen aan het kopen, zodat je nog lang door kunt gaan met slijmen, Thomas de slijmbalpomas?"

„Sorry," antwoordde hij zo zelfverzekerd mogelijk. „Ik heb geen zin om met jullie te praten."

„Nee, natuurlijk niet," zei Eddie, die vlak achter Thomas stond. „Jij bent veel te slim om met mensen zoals wij te praten."

Thomas keerde zich langzaam om. Eddie en een paar van zijn maatjes sloten hem in. Thomas voelde de trillende paniek in zich verspreiden.

„Jij zegt dezelfde dingen als Einstein, hè?" Eddie begon Thomas' eerdere gesprekje met juf Marjan na te doen: 'Verbeelding is alles, juf Marjan.'

'Wat goed gezegd, Thomas!'

'O, dat was niet van mij, dat is ooit gezegd door Einstein, eigenlijk.' Ha!" Eddie lachte op een sarcastische toon en zei over Thomas' hoofd tegen Lisa: „We zouden hem Einstein Eigenlijk moeten noemen."

Lisa lachte hard en gemeen. „Superidee, Eddie." Ze praatte nog luider. „Hé, moet je horen, mensen. Vanaf nu is Thomas zijn nieuwe naam Einstein Eigenlijk. Dat wordt lachen, vooral omdat hij meestal een ongelooflijke sukkel is."

Thomas' hart kromp ineen en begon daarna als een gek te slaan. Hij voelde dat zijn gezicht rood werd. Hij zou dit allemaal niet moeten pikken. Het enige wat hij hoefde te doen, was diep inademen en iets terugzeggen. Maar het was zo moeilijk om dat te doen. Was dat het waarom ze juist hem ertussenuit pikten om hem zo af en toe een 'speciale behandeling' te geven?

Toen hij dit aan zijn opa gevraagd had, had opa heel serieus met hem gepraat. „Er zijn altijd treiteraars. In de laatste oorlog werden die de nazi's genoemd en we probeerden van hen af te komen, maar ze bestaan nog steeds. Het is onderdeel van wat ze de 'menselijke conditionering' noemen, maar God weet dat er niets menselijks aan hun gedrag is. Er zijn lui die zich afreageren op mensen die anders zijn, hoewel ze er vaak zelfs geen reden voor hebben. Ze voelen zich daardoor beter. Zulke mensen hebben vaak nergens anders iets over te zeggen. Ze kunnen niet praten over sport, of films, of boeken, of ideeën. Het lijkt of er niet veel méér in hen zit dan haat, en dat komt er zo nu en dan allemaal uit stromen."

Thomas vertrouwde zijn stem niet, dus probeerde hij zich langs de Pestkoppen te wringen. Ze stonden stevig tegen elkaar en begonnen hem te duwen.

„Hé, laat dat!" zei een harde stem.

Thomas keek om. Vicky en Basra stonden nu naast hem. Het was Vicky die het gezegd had.

„Jullie zijn een stelletje zielenpieten," zei ze. „Jullie zijn gewoon jaloers omdat Thomas beter was met het viking-verhaal dan jullie."

„Jij bent al net zo erg als hij," snauwde Lisa terug. „Juffrouw Slijmbal. 'Ja meneer, nee meneer, zoveel als u wilt, meneer.' "

„Slijm-nog-maar-een-likkie-Vicky," zei Eddie gemeen.

„Jullie twee zijn zo… zo… kinderachtig," zei Vicky hooghartig. Ze rechtte haar rug en draaide van hen weg. Maar Thomas zag dat ze rode vlekken in haar gezicht had en dat ze haar kaken op elkaar klemde.

„Schelden doet geen pijn," zei Basra dapper. En Thomas en hij haastten zich het winkeltje door, achter Vicky aan.

Het was alleen niet altijd waar, dacht Thomas. Schelden deed wél zeer. Dat was echt zo. Misschien niet aan je lijf, je kreeg er geen blauwe plekken van. Maar woorden konden wel degelijk pijn doen.

Woorden waren als rauwe energie: vol kracht, in staat

om iets erger te maken of te verzachten; problemen te veroorzaken, pijn te doen of te troosten. Het effect van woorden duurde langer dan een knal. In wrede handen waren ze een gevaarlijk wapen.

„Ze moeten eens flink op hun donder krijgen, die twee," vond Vicky, terwijl ze door de gang liepen.

Thomas en Basra knikten instemmend. Ze keken elkaar alle drie aan.

„Het is net als dat gedoe dat we vorig jaar op school hadden," herinnerde Thomas zich. „Maar wie gaat er wat aan doen?"

„Ja, wie van jullie tweeën gaat er wat aan doen?" vroeg Basra.

„Je bedoelt: wie van júllie tweeën?" speelde Vicky de bal terug.

De drie vrienden schoten in de lach.

Pas veel later die nacht vond Thomas het veilig genoeg om heel stil naar beneden te sluipen en een plek te zoeken waar hij met zijn stukje droomzijde terug kon gaan in de vikingdroom. Iedereen, inclusief hijzelf, had de hele avond zitten oefenen op de teksten voor het toneelstuk, en nu sliepen ze. Maar Thomas niet – door de afschuwelijke dingen die hij 's middags in het museum had gezien, wist hij dat er iets moest gebeuren. Hij wist alleen nog steeds niet precies wat.

Met zijn trui onder zijn arm, waarin het stukje droomzijde zat opgerold, liep Thomas de lege eetzaal binnen. Vlak naast de deur stonden rieten manden met vikingkostuums. Misschien zou het hem helpen om zijn droom terug te krijgen als hij wat in de spullen rommelde.

Thomas tilde de deksel van de eerste mand. Er zaten schilden en wapens in. Hij legde zijn trui neer en bekeek een paar dingen. Een groot, plastic zwaard met een ingewikkeld patroon op het handvat, een paar puntige speren, een rond schild, een strijdbijl, een kartonnen helm…

Thomas pakte de helm op en draaide hem voorzichtig rond. Tegelijkertijd zag hij vanuit zijn ooghoek ineens het schoolbord. Thomas hapte naar adem en deed een stap achteruit. Er was iets bij geschreven, sinds ze hier hadden zitten werken. Over Mats' verhaallijnen heen, waren woorden gekrast… VERNIETIGING!… VUUR!… DOOD!

De helm glipte uit Thomas' vingers en viel weer in de mand. De holle openingen voor de ogen staarden hem aan, de diepte van het niets erachter zoog hem ernaartoe, zijn hoofd leek te zwemmen. Als in trance reikte Thomas naar zijn trui met de droomzijde erin. Hij legde hem op de mand.

Langzaam begon Thomas de trui open te rollen.

12

Meteen toen zijn vingers het kleine stukje droomzijde aanraakten, wist Thomas dat er iets vreselijk mis was. Het hing niet gewoon slap, zoals een normaal stukje stof. Het bewoog – trillend van spanning, draaiend en wiebelend, brommend door vreemde vibraties. En toen hij het stevig vast wilde pakken, trok er een verschroeiende hitte door zijn vingers. Thomas schreeuwde van de pijn en probeerde zijn hand weg te trekken.

Maar dat lukte niet. Er was een kort geschuifel omdat Thomas tegenstribbelde, maar toen werd hij toch naar binnen getrokken.

En nu schoot de tijd van hem weg, eerst steeds sneller, draaiend, daarna om hem heen cirkelend. Het was een beweging die niet stopte, zonder begin en zonder einde. Veranderend, heen en weer schietend, hem opslurpend, tot Thomas neerstortte in een steegje vol vuil.

„Dat werd wel tijd, jij, dikhoofdige slungelkluns!"
Thomas' Droommeester stond voor hem, met zijn handen
in zijn zij.

„Waar zijn we?" vroeg Thomas.

De ogen van de Droommeester werden groot van ver-
bijstering. „Waarom vraag jíj aan míj waar we zijn? Dit is
jouw droom, jouw verhaal! Jij zou het antwoord moeten
weten." Hij trok Thomas overeind en tuurde in zijn ogen.
„Je hebt hier toch wel over nagedacht, hè? Je hebt toch
wel een grof idee over de verhaallijn? Ik bedoel, je hebt
toch niet gewoon dat stukje droomzijde gepakt en je zonder meer in deze droom laten zuigen?"

Hij leunde gespannen naar achteren, omdat Thomas
geen antwoord gaf. Toen begon hij uit razernij op de
grond te stampen. „Van alle, alle… zevenenzestig stomste
stupiditeiten! Thomas… Thomas… met je, je… kop als
een zeef!" ging hij tekeer. Hij trok aan zijn haar en beet uit
alle macht op zijn baard.

„Ik kon er niets aan doen!" zei Thomas. „Het greep me
en trok me naar binnen! Trouwens, zo gaat dat toch, met
een goed verhaal?"

„Natuurlijk," antwoordde de dwerg. „Behalve dat jouw
verbeelding in dit verhaal is losgeslagen. Het heeft disci-
pline nodig, een beetje sturing!"

„Ik dacht dat een verhaal een eigen leven leidde," protesteerde Thomas.

De dwerg keek Thomas dreigend aan. „Dit is de aller-
laatste droom die ik met jou doe, jij… kwakende kletskop.
Jíj vertelt hier het verhaal, dus moet je een soort grip hebben, een soort overzicht." Hij keek Thomas lange tijd aan.

„Je hebt er helemaal niet over nagedacht, hè?"

„Ik heb zowat nergens anders aan gedacht!" antwoordde Thomas eerlijk. „Ik maakte me zorgen over de inval, de branden en vooral die ene viking..." Hij zweeg, omdat hij rennende voetstappen hoorde.

Thomas dook weg achter een regenton, aan de zijkant van een huis.

Er was iemand gestopt aan het einde van hun steeg. Een lange schaduw viel op de grond. Hij had de vorm van een grote krijger met een helm op.

Thomas drukte zichzelf zoveel mogelijk tegen de muur en achter de ton. De man kwam langzaam dichterbij, zorgvuldig links en rechts kijkend, zijn ogen woest stralend vanuit de oogholtes van de helm. Hij was bijna bij Thomas' schuilplaats, toen achter hem ineens geschreeuw en het gerammel van metaal van tegen elkaar slaande zwaarden klonken. Hij draaide zich om en rende terug naar waar hij vandaan kwam.

Thomas ontspande een klein beetje, trillend van opluchting. Hij had het gezicht van de man niet goed gezien, maar hij wist bijna zeker dat het de viking was die de bijl naar zijn hoofd had gegooid en die bleef opduiken in zijn dagdromen. Was deze vent te voorschijn gekomen omdat Thomas over hem sprak? Hij wist het niet.

„Dit doe je echt niet goed!" riep de Droommeester uit. „Verhalen hebben structuur nodig. Dit loopt volledig uit de hand! Stop ermee! Nu!"

„Ik kan het niet," fluisterde Thomas.

De Droommeester keek hem kwaad aan. „Nou, dóé dan iets! Je kunt je hoofdrolspelers niet zomaar in het wilde weg rond laten rennen."

Thomas keek om de hoek van zijn schuilplaats. Wegrennen leek hem eigenlijk de beste oplossing. Iemand anders kon elk moment deze kant op komen en hem zien zitten, dubbelgevouwen tussen de ton en de muur, en dan maakte hij waarschijnlijk weinig kans. Hij herinnerde zich dat Hilde iets had gezegd over een pad naar de rivier, een weg naar de veiligheid. Aan de andere kant van de steeg, ver weg van de herrie van het gevecht, zag hij een weer-schijn van licht op water.

Thomas greep de Droommeester bij zijn arm. „Ik denk dat de rivier daar is, en Hilde zei dat er een pad is."

„Hilde?" snauwde de dwerg, zijn arm wild lostrekkend. „Opeens is er een Hilde. Wie is Hilde?"

„Eh… iemand die ik in de eerste droom heb ontmoet. Een meisje. Een prinses."

„Je moet een samenhang gaan verzinnen voor dit ver-haal," vond de Droommeester. „Is haar persoon echt nodig?" vroeg hij eisend. „Heeft ze een bepaald doel in dat verhaal?"

„Ja," zei Thomas, denkend aan de bijl die hem net gemist had omdat Hilde hem in zijn zij porde. Hij keek naar beide kanten. De steeg was verlaten. „Ik ga het pro-beren," vertelde hij de dwerg. En voor de Droommeester iets terug kon zeggen, sprong Thomas overeind en rende het pad af.

„Ik word hier te oud voor," zuchtte de kleine man, hij-gend en puffend. „Langzamer!"

Thomas lette niet op hem. Zonder te kijken rende hij de bocht om en knalde keihard tegen iemand aan.

„Oef!" kreunde Thomas en hij viel achterover. Naar adem snakkend keek hij op.

Een zeer geïrriteerd kijkende prinses, met felle ogen van boosheid, stond voor hem en versperde de weg naar de rivier.

13

„Lafaard!" zei ze bits.

„Nee," zei Thomas. „Ik was niet… ik ging niet… ik bedoel, ik ben niet…"

„Je vluchtte om jezelf te redden," spotte ze.

„Nee, zo was het niet," stamelde Thomas.

„Je liet het aan mij over om in m'n eentje een oude man te redden."

„Ik liet je gaan…" Thomas dacht koortsachtig na. Hij voelde dat zijn geloofwaardigheid snel achteruitging. Meteen herinnerde hij zich de vikingkrijger. Een vaag idee over ridderlijkheid en gevaar lopende jonkvrouwen kwam in hem op. „Ik liet je gaan… om… achter te blijven en… om jouw eer te redden."

„Onwetend stuk onbenul!" siste de Droommeester in Thomas' oor. „Dat komt regelrecht uit het verhaal van koning Arthur. Je bent nu bij de vikingen, weet je nog?"

Hilde keek Thomas aan alsof hij compleet gek geworden was. „Wat klets je nou voor onzin?"

„Ze kwamen door de voordeur," zei Thomas, snel nadenkend. „Er was een vikingkrijger, een enorme kerel. Hij kwam naar me toe, zwaaiend met zijn zwaard. Het was een afgrijselijk moment, maar ik bleef staan. Gelukkig kon ik hem wel even aan, om jou een paar kostbare seconden tijd te geven om weg te komen."

„O," zei Hilde aarzelend. „O, nou… bedankt."

Thomas slaakte een zucht van verlichting. Technisch gezien was het waar. Hij had de achtervolger inderdaad een beetje opgehouden. Ze hoefde niet te weten dat wat de vikingen echt had tegengehouden, de brandende balk was die op het hoofd van de viking viel.

„Sorry, dat ik zo onbeleefd was," zei ze met tegenzin.

„O, geen probleem." Thomas probeerde om niet al te bijdehand te klinken.

Hilde draaide zich om en hurkte naast haar grootvader, die in het gras bij de rivier zat.

„Er was een vreselijk gevecht," ging Thomas verder, in de hoop dat hij zijn goede positie zou houden. Hij had dit bazige meisje laten zien dat hij minstens zo goed was als zij.

„Ja ja." Hilde dompelde een lap stof in de rivier en veegde er haar grootvaders gezicht mee af.

„Ja," zei Thomas. „Man tegen man; we worstelden een hele tijd. Die vent was zowat drie meter," voegde hij eraan toe.

„Dat lijkt me sterk."

„Nee, echt," hield Thomas vol. Nu had hij eindelijk een

bijzonder goede reden om zijn fantasie te laten werken. „Hij torende boven me uit, zijn ogen flikkerden van haat. Hij was zo sterk als zes man, op z'n minst."

Hilde sperde haar ogen wijd open.

„Je hebt geen idee," ging Thomas verder.

„Dat heb ik wel," zei Hilde kalm. „Want de man over wie jij het hebt, ken ik vrij goed. Hij wil met me trouwen, maar mijn familie heeft dat geweigerd. Daarom zit hij achter me aan. Zijn naam is Harald."

„O," mompelde Thomas.

„O, inderdaad," zei Hilde. Ze stond op. „Je had skald moeten worden in plaats van varkenshoeder. Je verhalen zijn erg grappig." Ze wees naar haar grootvader. „Help jij grootvader even? Ik ga vooruit en zorg dat de weg veilig is."

Thomas hielp de oude man met opstaan. Hij boog zich voorover om zijn arm aan te bieden en zag het gezicht van de man. Wijze ogen keken Thomas aan. De uitdrukking leek zo erg op die van zijn eigen opa, dat Thomas naar adem hapte.

De man stak een breekbare, dunne hand uit en Thomas gaf hem zijn arm om op te leunen. Thomas trok een gezicht naar Hildes rug. Ze volgden haar door het lange gras.

Hildes grootvader grinnikte toen hij Thomas' gezicht zag. „Jij bent een goede verhalenverteller, jongen. Daar moet je je niet voor schamen, het is een geweldige kunst."

Verhalenverteller! Thomas' hart maakte een sprongetje toen hij zich herinnerde waarom hij hier was. Het was de bedoeling dat hij een goed einde maakte aan dit verhaal.

Hij moest een bevredigend slot verzinnen voor deze droom en hij kon er maar beter meteen mee beginnen. Thomas liet de hand van de oude man los en versnelde zijn pas om vlak bij Hilde te komen.

„Hé." Hij trok haar aan haar mouw. „Stop eens, ik moet bedenken wat we gaan doen."

Hilde trok zich los. „Ik weet precies wat we gaan doen. We zoeken een veilige plek om ons tot zonsopgang te verstoppen en dan gaan we richting het zuiden, naar het kamp van het leger van mijn oom, koning Edwin. Maar nu," ze keek snel om zich heen, „moeten we zorgen dat we uit de handen van Harald blijven."

„Te laat, ben ik bang," riep een stem achter hen.

Thomas en Hilde draaiden zich tegelijk om.

Achter hen op het pad stond een vikingkrijger. Thomas herkende de man meteen. Groot, met helm, een oorlogszwaard in één hand, een strijdbijl in de andere.

„Jullie zijn omsingeld door mijn mannen," zei Harald. „Geef je over. Die ouwe kan niet vluchten en dat ventje kan niet vechten."

„Hij misschien niet," Hilde ademde raspend in, „maar ík wel!" En ze stortte zich op Harald als een waanzinnige, wilde kat.

14

In ieder geval heeft dit íéts positiefs, dacht Thomas, terwijl Haralds mannen de vechtende Hilde vastgrepen en haar aan de kant trokken. Nu hoefde ze tenminste niet met Harald te trouwen. Hij zou nu vast niet meer achter haar aan zitten.

Harald veegde het bloed van de schrammen op zijn gezicht. Hij lachte meedogenloos naar Hilde. Toen stapte hij naar voren en gaf Hildes opa zo'n harde klap, dat hij omviel.

Meteen stopte Hilde met tegenstribbelen. „Onmogelijke treiteraar!" schreeuwde ze.

„Jij wordt van mij, of je wilt of niet," dreigde Harald.

„Je wilt mij helemaal niet!" riep Hilde. „Je wilt het koningschap en je denkt dat je dat krijgt door met mij te trouwen."

Harald lachte zo hard en raar, dat het Thomas de

rillingen bezorgde. „Je hebt gelijk," zei hij. „Ik hoef jou niet als vrouw om je uiterlijk of om je vechtlust. Jouw oom, koning Edwin, is met zijn leger op weg om ons, de vikingen, uit dit land te verdrijven. Mijn vader is de beroemde Noorman Erik en ik, Harald, ben zijn opvolger. Ik trouw met jou en over een tijdje krijg ik dan alle macht over het koninkrijk."

„Nooit!" gilde Hilde. „Ik zal nooit met jou trouwen!"

Harald keek haar koel aan. Hij boog zich over Hildes opa en hief langzaam zijn zwaard op. „Je moet oude mensen respecteren en ik weet dat hij geen bedreiging voor me is, want hij is de vader van je moeder, dus heeft hij geen koninklijk bloed, maar…" Hij zette het zwaard op de keel van de oude man.

„Niet doen!" schreeuwde Hilde.

Harald kneep zijn ogen samen en keek haar onderzoekend aan.

„Alsjeblieft." Het woord kwam tussen Hildes tanden door.

„Heel goed." Harald liet zijn zwaard zakken. „Nu, laten we ervandoor gaan. We moeten ons haasten om mijn vader te bereiken." Hij keek zijdelings naar Thomas. „Handel die jongen af," gaf hij als order aan een van zijn mannen.

Thomas strompelde achteruit. Wat voor 'afhandelen' bedoelde hij precies? Hij keek naar Hilde. Haar mond was opengevallen.

„We hebben de jongen nodig," zei ze snel. „Hij zorgt voor mijn grootvader."

„Dat kun je zelf wel doen," zei Harald kortaf.

„Ik... ik... ik ben niet belangrijk," zei Thomas zwakjes. „Ik ben maar een varkenshoeder."

„Ja," knikte Harald, „zoiets vermoedde ik al. Ik zag meteen dat je geen talent hebt voor vechten. Dus we hebben niets aan je." Hij knikte naar de man die het dichtst bij Thomas stond. „Zorg dat we hem kwijtraken."

De man trok een lang mes uit zijn riem.

Thomas voelde hoe de binnenkant van zijn lijf veranderde in kokende vloeistof. Hij keek wild in het rond. Hij was alleen en wegrennen was er ook niet bij. Waarom verdween de Droommeester altijd als je hem nodig had?

„Hij kan verhalen vertellen," zei een stem ineens. Het was Hildes grootvader. „Verzinsels en dromen worden werkelijkheid als hij ze vertelt. Ik heb het zelf gehoord. Hij heeft goede verhalen..."

Harald liep naar Thomas en staarde in zijn gezicht. „Ben je een skald?"

Thomas dwong zichzelf om terug te kijken. Hij staarde in de halfgekke ogen, vol oorlogszucht en machtswellust, en probeerde wanhopig om niet te knipperen. „Eh..." bracht hij met moeite uit. Het was waar. Mats had gezegd dat hij talent had voor het vertellen van verhalen. Dus Thomas knikte. „Ik ben een skald."

„Vertel er maar een." Harald grijnsde duivels. „Vertel me een verhaal om je leven te redden."

Elk verhaal dat Thomas ooit bedacht of gelezen had, verdween naar de bodem van zijn hersenen. „Ik... Ik..." Zijn stem stierf weg. Geen paniek, geen paniek, geen paniek, zei hij tegen zichzelf. Daar had hij niets aan. Hij deed nooit iets goed als hij onder druk stond en dit was minstens zo erg als het ergste proefwerk of examen dat hij ooit gedaan had.

Het was stil. Tijd hing als een druppel water aan een lekkende kraan.

En Thomas keek toe en zag dat Haralds geduld in een microseconde op raakte. Hij zag het aan zijn gezicht, in zijn ogen. Maar, net toen Haralds aandacht weg begon te glijden, het moment voor hij van Thomas wegkeek, begon Hilde te hoesten.

„Sorry," kuchte ze. „Sorry, hoor, Thomas… mijn excuses. Begin alsjeblieft opnieuw. Wat zei je?"

Thomas keek haar dom aan.

Hilde probeerde het nog een keer. „Ik dacht dat ik je hoorde praten. Zei je niet net: 'Er was eens een beroemde viking…'?" Ze rolde met haar ogen richting Harald en terug naar Thomas.

„O ja," onderbrak Hildes grootvader haar. „Dat verhaal herinner ik me ook. Hij was een machtig krijger." Hij keek naar Thomas, naar Harald en weer naar Thomas.

Ze proberen me te helpen! dacht Thomas. Hij voelde een plotselinge opluchting. Hij moest een verhaal vertellen… over een vikingkrijger. „Er was eens…" begon hij snel. „Er was eens een eh… viking, Erik, die beroemd was om zijn geweldige bijl. Hij kwam over de gure Noordzee, met vele vikingschepen. De schepen hadden grote zeilen en boegbeelden met geschilderde drakenhoofden… ze kwamen, zagen en overwonnen…" Thomas fantaseerde erop los en probeerde zich te herinneren wat juf Marjan had verteld over vikingen. „En deze Erik had vele zoons, die allemaal machtige krijgers werden…" Thomas zag dat

Hilde haar hoofd wild in de richting van Harald schudde. Natuurlijk! Harald! „Vooral de oudste zoon," ging Thomas verder. „Hij was de machtigste, de belangrijkste." Thomas waagde een vlugge blik op Harald. Zijn lippen waren vertrokken in een halve glimlach. „Hij was Eriks opvolger en zou al het land en de goederen erven. Erik was in liederen en verhalen bekend als Erik Strijdbijl…"

„Erik Strijdbijl!" herhaalde Harald. Hij keerde zich naar zijn mannen. „Dat is een goeie. Dat bevalt me wel. Vanaf nu zal mijn vader bekend zijn als Erik Strijdbijl en ik als de belangrijkste man." Hij gaf Thomas een duw tegen zijn schouder. „Je bent inderdaad een skald. En we hebben een goede verteller nodig om verslag te doen van onze overwinningen. Zul je de beste woorden gebruiken die je kent, om te vertellen over mijn heldendaden en mijn talent voor oorlogvoering?"

Thomas knikte slapjes.

„Mooi," zei Harald. „Dan zal ik je in leven laten… voorlopig."

15

Thomas hield het stukje droomzijde stevig vast, terwijl hij met Hilde en haar grootvader langs de rivier geleid werd.

„Waarom kijk je steeds om?" vroeg Hilde. „Heb je vrienden die ons misschien volgen en komen redden?"

„Ik dacht dat ik een vriend had," antwoordde Thomas bitter. Waarom was de Droommeester nou altijd totaal buiten beeld wanneer de dingen echt uit de hand liepen? Op enge momenten slaagde hij er altijd in om onder zijn cape te duiken en op te lossen in het niets. „Het ziet ernaar uit dat hij op mysterieuze wijze is verdwenen."

„Dan moeten we zelf proberen te ontsnappen."

„Hoe?"

Er liepen gewapende mannen voor en achter hen. Hilde en hij hadden misschien weg kunnen springen en kunnen vluchten in de bosjes en het lange gras, maar Hildes grootvader zou dat nooit bijhouden. En Thomas wist dat ze hem allebei niet achter konden laten.

„Ze zullen wel stoppen om te rusten en te eten," veronderstelde Hilde. „Dan moeten we het erop wagen."

„Bedankt voor je hulp, daarnet," zei Thomas. „Het was een goed idee om te zeggen dat ik een verhalenverteller ben."

„Daarmee hebben we een schuld ingelost, voor jouw hulp aan ons. En het was niet helemaal gelogen," zei ze. „Soms is de manier waarop je praat erg boeiend en…" ze keek naar hem en glimlachte, „… grappig."

Hildes grootvader gaf Thomas een duwtje in zijn zij. „Ze vindt je leuk," fluisterde hij.

Hildes voorspelling klopte. Bij het volgende gehucht riep Harald dat ze moesten halt houden. De bewoners van het dorpje waren gevlucht en nu zochten de mannen naar brandhout en eten in de hutjes.

Harald pakte Hilde bruut bij haar arm. „Jij, meisje, en je grootvader kunnen hier blijven en met mij bij het vuur eten." Hij lachte. „Geef de varkensjongen wat varkensvoer en stop hem voorlopig in een van de hutten."

Het was bijna helemaal donker in de hut en het duurde even voor Thomas merkte dat hij niet alleen was. Een kleine man zat in kleermakerszit op de grond.

„O, en nu besluit je om weer eens op te dagen," zei Thomas sarcastisch.

„Geef geen kritiek op dingen die je niet begrijpt," reageerde de Droommeester.

Thomas pakte een stukje oud brood op dat naar hem toe gegooid was.

„Gatver," zei de dwerg. „Hoe kun je dat nou eten?"

„Geloof me, het smaakt beter dan de troep die ze in het leger van de koning kregen."

„O ja…" zei de dwerg. „Koning Edwin en zijn leger… Ze zijn niet meer dan een paar kilometer hiervandaan. Ik zal je de weg wijzen en dan kun je de droom morgen eindigen met de slag bij Noorstad."

„Noorstad?" herhaalde Thomas. „Wil je dat ik naar de koning en zijn troepen ga?"

„Ja, natuurlijk," zei de dwerg geprikkeld. „Daar ben je toch dit verhaal mee begonnen? Met marcheren in het leger van de koning?"

„Ik kan Hilde en haar grootvader niet achterlaten," protesteerde Thomas. „Hilde heeft mijn hulp nodig, anders kunnen ze niet allebei ontsnappen."

De dwerg trok zijn wenkbrauwen op. „Is zij dezelfde Hilde die Haralds gezicht openkrabde en zowat zijn ogen uitstak?"

„Hij wil haar dwingen om zijn vrouw te worden, zodat hij de troon kan krijgen."

„Er zijn beleefdere manieren om een huwelijksaanzoek af te wijzen," vond de dwerg.

„Hij dreigde dat hij haar grootvader ging vermoorden!" riep Thomas uit.

De dwerg leunde naar Thomas toe. „Daar heb jij helemaal niets mee te maken," zei hij zacht, op lage toon. „Jij begon dit verhaal met het leger van de koning. En een verhaallijn halverwege veranderen, is een slecht idee. Dus nu moet je daarnaartoe gaan en je bij het leger voegen, en de droom beëindigen." Hij liep naar de deur. „Kom, ik zal de weg wijzen."

„Nee," zei Thomas. „Ik kan hier niet gewoon van weglopen."

„Dan ren je maar." De dwerg deed de deur op een kier-
tje open en keek voorzichtig naar buiten. „Dat is ook wel
nodig."

Thomas schudde zijn hoofd. „Nee."

De Droommeester draaide zich om, zodat hij Thomas
aan kon kijken, fronste zijn voorhoofd en reikte naar
voren. „Deze droom wordt dunner." Hij raakte de deur
van de hut weer aan. Zijn hand ging er bijna doorheen.
„Je concentratie begint af te nemen. Is er de laatste tijd iets
ergs met je gebeurd?"

„Iets ergs?!" zei Thomas. „Ik ben gevangengenomen
door vikingen van wie de leider een gestoorde is die me
bedreigd heeft met een onmiddellijke dood. Ik noem dat
wel iets ergs, ja!"

„Dat is allemaal je eigen schuld. Maar dat soort opwin-
ding zou geen invloed moeten hebben op het weven van
het verhaal. Als er iets is wat het levendiger maakt... Nee,
er is iets traumatisch gebeurd in je gewone, saaie, simpele,
dagelijkse, behoorlijk slome bestaan, waar ik trouwens
nog een beetje pit in probeer te brengen door je af en toe
een interessante droom te geven. Denk eens aan de 'echte'
eenentwintigste eeuw. Heb je daar iets naars beleefd?"

„Nou ja, wel een beetje," knikte Thomas. „Ik had een
probleem met de Pestkoppen."

„Vijftien vioolstokken! Zij weer? Ik had kunnen weten
dat er een reden was waarom je zoveel problemen blijft
hebben in deze droom. Je concentratie is vanaf het begin
behoorlijk slapjes geweest en nu begint de hele droom

weer weg te glijden."

Thomas keek om zich heen. Door de muren van de hut zag hij heel vaag de muren van de jeugdherberg. Ze bewogen langzaam heen en weer. Nee, het was zijn droom die bewoog. De lucht glinsterde een beetje. Thomas trok het stukje droomzijde uit zijn mouw. Het was verwassen en de droom zelf dreef nu rustig voort, een beetje trekkend als een vastgebonden ballon. Zijn droom had zich verplaatst in de ruimte. Er was nu een afstand tussen de droom en zijn werkelijkheid.

„Een gedeelte van je droomtijd moet gebruikt worden om ervaringen van overdag op te lossen," vertelde de Droommeester. „Een gedeelte van je hersenen is kennelijk nog bezig met wat er gebeurde met die twee treiteraars."

„Maar dat was overdag," antwoordde Thomas. „Dat is voorbij. Het heeft nu geen invloed meer."

„Natuurlijk wel! Het wordt allemaal door elkaar gestampt. Snap je nou niets?" De dwerg tuurde naar Thomas. „O, dat vergeet ik steeds. Jij zit in die vreselijke eenentwintigste eeuw waar de meeste mensen opgesloten zitten in het idee dat alles in één lijn plaatsvindt. Zo gaat dat niet. Zie je dat nou niet? Het heeft allemaal met elkaar te maken, alles. Einstein begreep het idee wel. Maar het is niet alleen de tijd die relatief is. Alles is relatief, afhankelijk van andere dingen."

„Relatief," herhaalde Thomas. Hij dacht aan het woord 'relaties'. Hij dacht aan zijn opa en aan zijn zus Laura. Dat waren familierelaties. De stem van de dwerg werd zachter. Hij kon hem amper nog verstaan.

„Je droomenergie wordt minder, zoals zand boven in

een zandloper. Je zult deze droom moeten verlaten en terug moeten komen. Ga eruit, Thomas. Ga eruit. Nu!"

„Relatief," zei Thomas weer. Ze zeiden dat je je vrienden kunt kiezen en je familie niet. Maar dat was niet helemaal waar. Vrienden kozen jou, en in sommige gevallen niet. Hij realiseerde zich dat hij nu helemaal in de war raakte. „Oké," zei hij tegen de dwerg. Hij pakte het stukje droomzijde en keek ernaar. Het was parelachtig doorschijnend. Thomas kwam wankelend overeind. Hij kon beter gaan, nu het nog mogelijk was. Als de droom verder ging, zou hij er voor altijd in gevangen kunnen blijven. Met de droomzijde stevig tussen zijn vingers strompelde Thomas naar de deur en trok hem open.

16

Thomas liep de eetzaal van de jeugdherberg uit en botste tegen meester Jan aan.

„Thomas!" riep de meester uit. „Wat doe jij nou hier beneden, midden in de nacht?"

Thomas wreef wazig in zijn ogen.

Meester Jan bekeek hem nauwkeurig. „Ik denk dat je aan het slaapwandelen bent. Wacht, ik pak iets te drinken voor je en dan breng ik je terug naar de slaapzaal." Hij pakte het stukje droomzijde uit Thomas' hand. „Dat heb je niet nodig," zei hij en hij liet het stukje stof in de rieten mand vallen die naast de deur stond.

Toen Thomas de volgende morgen wakker werd, kon hij zich de vikingdroom maar vaag herinneren. En hij merkte dat hij er sowieso niet veel aan kon denken, omdat hij iets anders aan zijn hoofd had. De hele tijd tijdens het ontbijt, tijdens het afhalen van hun lunchpakket en het wachten op de bus, was er iets anders wat hij moest weten of zich moest herinneren, maar wat? Hij wist dat het belangrijk was, maar dat hielp al helemaal niet. Het maakte het alleen maar erger. Hoe belangrijker het was dat hij iets deed, hoe groter de kans dat het door een van de barsten in zijn hersenen viel. Het was een bekend gevoel voor Thomas. Als hij van iemand iets moest doen, of halen, dan vergat hij meestal wat het was. En dan kwam er iets heel anders in de plaats van de eigenlijke opdracht. Zoals toen hij een keer een brood moest kopen in de winkel en terug-kwam met een pak waspoeder. Hij zou de uitdrukking op zijn moeders gezicht nooit vergeten, op het moment dat hij het aan haar gaf.

„Wakker worden, Thomas!" Meester Jan zwaaide een vuist voor Thomas' gezicht heen en weer. „Hoeveel vin-gers steek ik op?"

„O, ha ha, meester," zei Thomas.

„Ha ha, inderdaad, schiet op, de bus in," knikte meester Jan. „Die lui zijn half in slaap vandaag," zei hij tegen juf Marjan.

„Ze zijn de halve nacht opgebleven om hun teksten voor het toneelstuk te leren en te oefenen," vertelde juf Marjan.

„Als ze de dingen op school toch eens net zo serieus zouden nemen..." merkte meester Jan op.

„Dat komt natuurlijk doordat Mats professionele ac-teurs meebrengt om mee te doen in het stuk," lachte juf Marjan. „Ze hopen dat ze ontdekt zullen worden en over een tijdje in een soap mee mogen spelen of een Oscar zullen winnen."

„Ah, dat verklaart een heleboel," zei meester Jan. „Als je zag hoeveel make-up er gisteravond rondging in de slaapzaal van de meisjes… daar kunnen ze iedereen in een echte film minstens drie keer mee schminken. En die arme Thomas is zo zenuwachtig voor zijn rol als skald. Ik kwam hem vannacht slaapwandelend tegen."

Thomas spitste zijn oren bij het horen van zijn naam. Slaapwandelen? Hij? Vannacht? „O nee…" fluisterde hij, toen de gebeurtenissen van de avond ervoor ineens in een stortvloed terugstroomden in zijn hoofd, met een enorme golf paniek. Eén herinnering was nog duidelijker dan de rest. Hij begon weer terug te lopen door het gangpad van de bus. „Ik moet eruit," zei hij wanhopig. „Ik heb iets vergeten."

„Sorry, Thomas," zei meester Jan. „We hebben een afspraak in het Spoorwegmuseum en we zijn al een beetje laat." Hij gebaarde naar de chauffeur, die de deur dichtdeed en optrok. „Ga zitten. Nu!" zei hij streng, omdat Thomas nog in het gangpad bleef staan.

Thomas liet zich in zijn stoel vallen. „Geen paniek, geen paniek, geen paniek…" murmelde hij. Hij wenste bijna dat hij het zich niet had herinnerd. Maar het afschuwelijke feit zat nu weer in zijn hoofd en liet zich er niet uit zetten. In plaats dat zijn stukje droomzijde veilig opgerold in zijn trui zat, onder in zijn tas, lag het nu in Mats' mand met toneelspullen.

Het bezoek aan het Spoorwegmuseum verliep voor Thomas in slowmotion. De grote machines, het enorme werk van vakmensen, de interactieve tentoonstelling…

het maakte allemaal weinig indruk op hem. Tijdens de film en de videopresentaties kon hij zich helemaal niet concentreren. Al zijn gedachten werden opgeslokt door het stukje droomzijde. Hij zat als eerste weer in de bus en plofte op een stoel vooraan. Pas toen juf Marjan de rest van de leerlingen de bus in had gedirigeerd, besefte hij dat hij nu naast juf Marjan zou zitten.

„Kijk eens, onze Thomas-Slijmjurk is een echt juffrouws-lieverdje vandaag," fluisterde Lisa toen ze langsliep.

„Hou je kop," zei Thomas. „Prinses Lisa Lulmaarraak!"

„Thomas Sierhuis!" riep juf Marjan uit. „Het verbaast me jou zo te horen praten!"

„Zij begon," verdedigde Thomas zich.

Lisa liep met een grijns het gangpad af.

„Nou, dat verbaast me weer niets," antwoordde juf Marjan zachtjes.

Thomas keek zijn juf verbijsterd aan. Ze knipoogde naar hem voor ze naast hem ging zitten. „Ik hou haar in de gaten," zei ze en ze pakte de microfoon.

Toen de bus voor de jeugdherberg stopte, sprong Thomas overeind om als eerste uit te stappen, maar toen zag hij dat de chauffeur ook de deur in het midden had geopend. Hij kwam vast te zitten in een groep leerlingen die naar de jeugdherberg rende.

Lisa gebruikte haar ellebogen om bij hem in de buurt te komen. „Kijk jij maar uit. Niemand scheldt mij uit zonder daar problemen mee te krijgen."

„Ja." Eddie stond nu naast haar. „Jij hebt een lesje nodig." Hij knikte naar Lisa.

„Ik heb geen tijd voor onzin." Thomas duwde hen aan

de kant en rende naar de eetzaal. Hij zwaaide de deur open en schoot naar binnen. Mats stond bij de mand en was net bezig de vikinghelm eruit te halen. Hij keek verbaasd op omdat Thomas ineens naast hem stond.

„Hier, ik help wel even." Thomas' stem trilde van de spanning. Hij stak zijn hand in de mand en pakte de helm. Het lapje droomzijde lag donker en bevend opgerold in de helm. Met een snelle beweging pakte Thomas het en stopte het in zijn tas.

„De repetities beginnen over een half uur," riep Mats Thomas achterna, die alweer wegliep.

Buiten de eetzaal stopte Thomas en hij haalde even diep adem. Nu moest hij uitkijken dat hij de Pestkoppen niet tegenkwam, maar eerst moest hij de droomzijde opbergen. Hij begon zijn tas open te maken.

„Thomas!"

Thomas schrok op. Juf Marjan stond voor hem. Ze zag er serieus uit.

„Kun je even naar het kantoortje komen?"

Lisa en Eddie zaten naast het bureau. Ze hadden hun onschuldigste gezichten op gezet.

„Thomas," begon juf Marjan. „Lisa heeft een zilveren hangertje verloren dat ze gisteren in het viking museum heeft gekocht, ook al…" juf Marjan zweeg even en keek Lisa strak aan, „…ook al had ik gezegd dat je pas aan het einde van de rondleiding mocht winkelen. Hoe dan ook, Lisa zegt dat ze het in de bus heeft laten vallen en volgens Eddie heb jij het toen opgepakt en in je tas gestopt. Hij zegt dat hij dat heeft gezien."

Thomas zweeg sprakeloos. De Pestkoppen moesten dit

samen hebben zitten uitbroeden in de bus. Daarom kwamen ze daarnet zo dicht naast hem lopen. Een van de twee had ongetwijfeld de hanger in zijn tas laten vallen. Thomas keek in zijn tas. Tussen een sinaasappelschil en wat overgebleven chipjes zag hij iets zilverachtigs glinsteren. „O nee..." zuchtte hij en hij voelde dat hij rood werd.

„Dat zei ik ook al." Juf Marjan had Thomas' moeizame uitroep als een ontkenning opgevat. Ze stak haar hand uit en pakte Thomas' tas van hem aan. „Laten we dit meteen maar oplossen," zei ze ferm en ze draaide de tas op zijn kop.

Thomas deed zijn ogen dicht. En daardoor zag hij niet hoe de triomfantelijke uitdrukkingen van Eddie en Lisa veranderden in zeer verbaasde gezichten, terwijl juf Marjan de overblijfselen van Thomas' lunch heen en weer schoof op het bureau... zonder het hangertje te vinden.

„Alleen een stukje oude, zwarte stof en wat restjes eten. Ik denk dat jullie tweeën Thomas jullie excuses moeten aanbieden."

Thomas deed langzaam zijn ogen open. Wat was er gebeurd? Hij wist zeker dat hij de hanger net in zijn tas had zien liggen. Het ding kon toch niet zomaar verdwenen zijn? Of wel? Pas toen Thomas het stukje droomzijde op het bureau zag liggen, bedacht hij dat het hangertje misschien echt was verdwenen... niet zozeer verdwenen, maar weggeslingerd naar een andere tijdruimte. Door het omdraaien van de tas moest het hangertje op en door de zijde heen zijn gevallen. Het stukje rode stof lag onopvallend op het bureau. Het leek volgens Thomas of het trilde, vibreerde, opgeladen met energie.

„Thomas rende meteen naar de eetzaal toen we binnen-kwamen," zei Lisa snel. „Misschien heeft hij het verstopt."

Juf Marjan klakte geïrriteerd met haar tong. „Thomas," begon ze, „heb jij…"

„Nee," zei Thomas meteen. „Ik zweer het. Ik had daar vannacht iets laten liggen en ik ben het gaan halen. U kunt het aan Mats vragen. Hij was er ook."

„Maar dat hangertje zat absoluut wel in zijn tas," barstte Eddie los. „Dat weten we zeker, omdat we…" Hij stopte omdat Lisa tegen zijn been schopte.

„Omdat… waarom?" vroeg juf Marjan op ijzige toon.

„Omdat we zagen dat hij het erin deed," antwoordde Lisa.

Juf Marjans ogen knepen samen. „Maar dat is niet wat je net zei, Lisa. Jij zei dat je het hangertje had verloren en dat Eddie had gezien dat Thomas het oppakte."

„Ik… ik… ja, dat klopt," stamelde Lisa.

„We zijn gewoon in de war over hoe het gebeurd is," voegde Eddie eraan toe.

„In de war raken over zoiets ernstigs als dit is zeer onverstandig," zei juf Marjan waarschuwend. „Misschien moet ik Thomas' ouders eens bellen. Die willen misschien wel een aanklacht tegen jullie indienen, wegens valse beschuldiging. Ik zal daar eens over nadenken, dan horen jullie het nog wel. En nu," haar stem werd iets hoger en ze sprak luider en heel duidelijk, „wil ik deze hele week niets meer over jullie horen. Als jullie tweeën zelfs maar zijdelings naar iemand kijken, krijg je met mij te maken." Ze gebaarde met haar hand. „En nu wegwezen. En jij mag ook gaan, Thomas," voegde ze er vriendelijk aan toe, nadat Eddie en Lisa waren weggeslopen. „Als die twee nog meer ongein uithalen, kom je het me maar onopvallend vertellen en dan doe ik er wat aan." Ze veegde de troep op het bureau bij elkaar. „Ik zal dit voor je weggooien."

Thomas sprong naar voren en greep het stukje droomzijde. „Heb ik nog nodig," mompelde hij. „Iets voor het toneelstuk, zeg maar." En bij het verlaten van de kamer propte hij de droomzijde diep in zijn broekzak.

17

Het stukje droomzijde zat nog steeds in Thomas' broekzak toen Mats later die avond een lange, soepele vertel-
lers-cape om Thomas' schouders hing en die vastzette met
een antieke, gedraaide vikingbroche.

Mats stapte achteruit en rommelde nog wat aan de
plooien tot alles goed zat. „Oké?" vroeg hij.

Thomas knikte. Hoewel ze samen twee uur geoefend
hadden, zat zijn keel dicht door de zenuwen en durfde hij
zijn mond niet eens open te doen.

„Maak je geen zorgen." Mats gaf hem een duwtje tegen
zijn arm. „Je doet het geweldig." Hij wees naar de make-
uptafel in de kleedkamer van de jongens. „Wil je ge-
schminkt worden?"

Thomas schudde zijn hoofd.

„Goddank," grinnikte Mats. „Want er is volgens mij
niets meer over. Oké, ga de zaal in en loop een beetje rond

tussen het publiek. De kinderen van de basisschool hier vlakbij zitten op dekens op het veld bij de rivier. Probeer ze een beetje warm te maken voor het verhaal. Heb je je aantekeningenkaartje?"

Thomas knikte weer. Mats had alle stukken uitgeprint op de computer, zodat ze snel iets konden terugvinden als ze het niet meer wisten. Thomas stak zijn kaart in de zak tussen de plooien van zijn cape en slenterde naar buiten.

Mats' toneelvrienden liepen al tussen het publiek, in hun kostuums. Ze hadden al hun spullen meegebracht in een paardenkar. Mats had tegen juf Marjan gezegd dat het gevecht met de acteurs erbij wat echter zou lijken, doordat ze nu met meer mensen waren.

Thomas liep rond op het veld. Een zachte gloed van de avond gleed over de dag. De laatste zonnestralen weerkaatsten op de glinsterende linten. De rest van de leerlingen stond bij elkaar, achter een speciaal gemaakte stellage waar ook de theatergordijnen aan hingen. Ze hielden luidruchtige zwaardgevechten. Thomas was zo onrustig, dat hij er niet eens naar kon kijken, laat staan dat hij mee kon doen. Hij ging terug naar binnen en liet zich op het bankje in de kleedkamer zakken.

Mats keek om de hoek van de deur. „Gaat het nu beter? Je moet over vijf minuten op, maar juf Marjan regelt de aanwijzingen wat dat betreft, dus ze komt je wel roepen."

Thomas schudde zijn hoofd. „Ik weet het niet. Als ik nou vergeet wat ik moet zeggen?"

Mats keek hem aan en glimlachte. Hij zwaaide met zijn hand in de richting van het veld. „Zal ik dan tegen hen zeggen dat ze zomaar wat moeten gaan doen? Dat alle spelers gewoon doen waar ze zin in hebben? Ik moest heel hard knokken, hoor, om ervoor te zorgen dat Lisa niet de hele tijd met een waaier rondliep. Bedenk eens wat zij gaat doen als niemand haar tegenhoudt!"

Thomas rilde.

„Inderdaad," zei Mats. „Alles wat jij daar gaat zeggen, is beter dan wat zíj anders gaat doen."

Thomas kon zich indenken wat een toneelstuk het zou worden als alle leerlingen hun eigen rol zouden schrijven. De Droommeester had gelijk. Denk aan een verhaal zonder structuur en je hebt alleen nog chaos en een bende.

Mats lachte weer naar Thomas. „Als je het echt niet meer weet, doe je gewoon wat elke verhalenverteller doet die ik ken: je verzint de rest. Zolang je de grote lijnen aanhoudt, kunnen een beetje overdrijven en mooier maken geen kwaad." Hij stak zijn hand op en verdween.

Thomas zag Vicky langs de deur lopen. Ook zij glimlachte. „Veel succes."

„Jij ook," knikte Thomas.

„Vind je het nou niet om van te kotsen dat Lisa de prinses is?" Vicky maakte een gebaar alsof ze een vinger in haar keel stak.

Thomas lachte en maakte kotsgeluiden.

„Waarom vertel je het verhaal niet zo, dat er iets heel ergs met haar gebeurt? Want eh…" Vicky zei het nog snel over haar schouder, terwijl ze wegliep, „jíj bent de verteller."

„Ja," zei Thomas hardop. Hij draaide zich om en keek in de spiegel. „Ja," zei hij weer. „Ik bén de verteller, inderdaad."

„Haal je alsjeblieft niet te veel in je hoofd," zei een geërgerde stem.

Thomas knipperde met zijn ogen. De Droommeester was verschenen. Hij zat op een rieten mand in de hoek van de kleedkamer.

„Dit is een onbeduidend kleine productie in een boerenveld, lieve help! Ik bedoel: echt een grote show is het bepaald niet!"

„Waar heb je het over?" vroeg Thomas.

„Kom op," zei de dwerg. „Ik zie het in je ogen. Je hebt last van plankenkoorts! De aantrekkingskracht van de lichten. De geur van de verf van de decors... het gebrul van de leeuw."

„Van het publiek, bedoel je," zei Thomas.

„Wat dan ook."

„Trouwens, dat was nu niet zo," protesteerde Thomas. „Ik zat alleen te denken over dat skald zijn... en mijn vikingdroom. Het verhaal moet gaan zoals de skald het vertelt..."

„Het verhaal gaat als volgt," zei de Droommeester gemeen. „Thomas gaat weer terug in zijn vikingdroom. En dan gaat Thomas terug om met het leger van de koning te marcheren, die..."

„Nee!" riep Thomas.

„Ja! Ja!" De Droommeester stampte met zijn voet. „Snap je het niet? Als je besluit om je vikingdroom te veranderen, kan ik je niet helpen."

„Ik ga terug naar precies dezelfde plek als waar ik weg ben gegaan," zei Thomas plechtig. „Ik zal Hilde en haar grootvader niet achterlaten."

„Dan zoek je het zelf maar uit." De dwerg stond op en trok de mantel abrupt om zich heen.

Thomas zat hier even over na te denken. Het leek nu zo duidelijk. Hij moest de baas zijn over de droom, en niet andersom. Hij moest de droomzijde aanwijzingen geven en niet de aanwijzingen van de droomzijde maar opvolgen. En... hij keek op zijn horloge. Hij had niet veel tijd. Hij moest het nú doen.

Thomas trok het stukje droomzijde langzaam uit zijn broekzak. Het trilde zacht tussen zijn vingers. Tastend, en uiterst voorzichtig, legde Thomas het plat in zijn handpalm.

18

Thomas liet het kleine stukje van de tijdmantel door zijn vingers glijden. Het beefde zachtjes. Hij zag zichzelf in de lange spiegel die aan de achterkant van de kleedkamerdeur hing. Achter hem zag hij de make-uptafel en de spiegel erboven. In de spiegel zag hij de reflectie van de tafel, waar een plastic vikinghelm op lag… die langzaam ronddraaide.

„O!" schrok Thomas en zijn hart sprong rond als een vis op het droge.

Hoe kon die helm nou draaien? Een helm kon uit zichzelf niet bewegen. Thomas draaide zijn hoofd. De helm lag stil, onbeweeglijk, op de make-uptafel. Thomas keek opnieuw in de spiegel. Daar zag hij de helm weer bewegen; hij draaide langzaam om zijn as, in Thomas' richting. Thomas' keel werd dichtgeknepen van angst. Hij wist wat er ging gebeuren. Zo meteen zou hij het neusstuk en de ooggaten zien, en dan zou het moorddadige gezicht naar hem toe komen stormen. Zijn hoofd duizelde. De helm leek groter te worden, zo veel groter, dat hij de hele spiegel opvulde. Hij ging omhoog, keek op Thomas neer van grote hoogte.

Thomas keek op naar de figuur die boven hem uit torende.

„Wakker worden, varkenshoeder-skald." Harald schopte Thomas niet erg zachtzinnig in zijn ribben. „We zijn bijna klaar met eten en nu willen we een verhaal. Je moet ons een verhaal vertellen dat de hele avond duurt." Hij bukte zich, trok Thomas overeind en duwde hem door de deur van de hut, de nacht in.

De vikingkrijgers lagen en zaten rond een groot vuur. Ze schoven een stukje op om Thomas tussen hen in te laten.

Thomas zocht een plekje bij Hilde en haar grootvader in de buurt en keek zenuwachtig om zich heen. De Droommeester had gezegd dat hij niet kwam helpen, maar... „Heb jij toevallig een kleine dwerg gezien?" vroeg hij aan Hilde.

„Dwergen zijn net maden," zei de krijger die vlak bij hen zat. „Ze worden geboren in het vlees van Ymir, de Reus van de Vorst." Hij bekeek Thomas onderzoekend. „Ik ben een keer een dwerg tegengekomen in een droom die ik had, waar enge draken met veel ingeslikte mensen in hun maag wild tekeergingen en rook uitbliezen. We houden niet van dwergen."

De man naast hem begon hem op zijn rug te slaan. „Nee Ivar, je snapt die jongen niet, hij is met zijn verhaal begonnen." Hij leunde naar Thomas toe en gaf hem een vriendelijk klapje tegen zijn hoofd. „Vertel ons het verhaal over de kleine dwerg."

„Huh?" Thomas' hoofd tolde. Als dat een vriendelijk klapje was, dan mocht de hemel hem beschermen als het er wild aan toe zou gaan. Hij bekeek Ivar iets beter. Hij was de Noorman die door de Droommeester gered was, die anders onder de bus was gekomen in Noorstad! Geen wonder dat hij niet van dwergen hield.

„De dwerg," spoorde de andere man hem aan. „Vertel ons over de kleine man."

„Welke kleine man?" Thomas keek verbijsterd om zich heen. „Waar is-ie?"

De viking bulderde van het lachen. „Zeg jij het maar!" riep hij. „Begin bij het begin." Hij nam een paar flinke slokken en veegde zijn mond af met zijn hand. „Hoe heet hij?"

„Eigenlijk," zei Thomas, omdat er een gedachte in hem opkwam, „weet ik niet of hij een naam heeft."

De vikingen rond het vuur keken elkaar ongemakkelijk aan. „Een man zonder naam? Hoe kan dat nou?"

„Varkenshoeder," zei Hilde met een lage stem, „als je leven afhangt van de manier waarop je een verhaal vertelt, bereid je dan voor op een spoedige ontmoeting met jouw goden."

Thomas keek haar uitdrukkingloos aan.

„Ieder ding, op en onder de aarde, moet een naam hebben," legde Hilde uit. „Anders bestaat het niet. Ze denken nu dat jij het over een gevaarlijk, duivels iets hebt. Praat niet over onverstandige dingen in de nacht voor het gevecht, niet als je tenminste de ochtend nog wilt meemaken."

De vikingen fluisterden tegen elkaar. Een paar legden hun hand op hun zwaard of hun bijl.

Geen paniek, geen paniek, geen paniek, zei Thomas tegen zichzelf.

Harald richtte zijn waanzinnige ogen op Thomas. „Wat is dat voor verhaal, over een kleine man met een geheime naam?"

O nee! dacht Thomas. Nu moest hij hun eerst een ander verhaal vertellen, vóór het verhaal waar hij het eigenlijk over wilde hebben. Wat voor verhaal kon hij snel vertellen over een kleine man die zijn naam geheimhield?

„Als je het in je hoofd haalt om me Repelsteeltje te noemen, klaag ik je aan," hoorde hij een bekende stem in zijn oor zeggen.

Een groot licht floepte aan in Thomas' hoofd. „Dat verhaal! Ja, inderdaad, dat is een erg goed verhaal," babbelde hij. „Het heet Repelsteeltje. Er was eens een molenaar met een dochter en hij vertelde iedereen dat zijn dochter goud kon spinnen van stro…"

„Ik vind dat geen leuk verhaal," merkte Hilde op, toen Thomas klaar was met vertellen. „De dochter had het goud zelf moeten houden."

„Nee, nee," vond Harald, „de koning moet al het goud hebben. Je bent een geweldige skald, jongen. Ik ben blij dat ik je leven gespaard heb!" Hij lachte luid. „Morgen zullen we al het goud hebben!" Hij stak zijn bijl in de lucht en begon toen te zingen.

Thomas en Hilde overlegden op fluistertoon, terwijl de

vlammen in het vuur hoger oplaaiden en de vikingen hun strijdliederen harder begonnen te zingen.

„Ik denk dat ik wel een manier weet om hier weg te komen," fluisterde Thomas.

„We kunnen niet ontsnappen," zei Hilde zacht. „Harald heeft grootvader met een touw aan zijn eigen pols vastgebonden." Ze keek Thomas uitdagend aan. „Ik ga niet zonder hem weg."

Thomas glimlachte naar haar. „Ik ook niet."

19

Thomas wist wat het allerbelangrijkste was: de tijd. Hij moest het precies goed uitkienen...

„Ik weet wat je van plan bent," zei een geïrriteerde stem.

Thomas draaide zijn hoofd. De Droommeester stond vlak achter hem.

„En ik voorspel dat het niet zal lukken. Ten eerste: hoe kom je erbij dat je dat stukje droomzijde kunt laten doen wat jij wilt? En vergeet niet dat je over drie minuten op het podium moet staan in het veld van de jeugdherberg, in jouw eigen tijd."

Thomas kneep zijn handen stevig dicht. Wat zei zijn opa ook alweer altijd? „Het maakt niet uit of andere mensen geloven of je iets kunt, probeer in jezelf te geloven." Thomas keek onverschrokken terug naar de kleine man. „En dat is precies wat ik van plan ben." Hij keek zenuwachtig rond. „Ook al heb ik misschien iemand bij me… tijdelijk."

„Je weet toch wel wat 'tijdelijk' precies betekent, hè, neem ik aan?" zei de dwerg treiterig.

„Als je me niet gaat helpen, ga dan maar weg," antwoordde Thomas bot.

„Echt niet," zei de dwerg, „om het op z'n eenentwintigste-eeuws te zeggen. Een lugubere interesse houdt me hier. Onafwendbare rampen veroorzaken ongekend…"

„Hou toch op!" reageerde Thomas. „Je verspilt kostbare tijd."

De dwerg stapte beledigd een paar passen achteruit.

„Tegen wie zit je te fluisteren?" wilde Hilde zacht weten.

„Ik ben me aan het voorbereiden." Thomas keek strak in haar stralende, blauwe ogen. „Vertrouw je me?" vroeg hij aan haar.

Ze keek hem bevreemd aan. „Nee, niet echt." Ze zuchtte diep. „Maar… ik heb niet zoveel keus, dus…"

Een streepje daglicht verscheen aan de horizon. Rond het kampvuur begonnen de vikingen zich voor te bereiden op het aanstaande gevecht.

Thomas sprak op lage, dringende toon tegen Hilde. „Geloof me alsjeblieft, en doe precies wat ik zeg." Hij stond op en stak zijn armen ver boven zijn hoofd. „Ik heb een verhaal," verkondigde hij. „Een verhaal over heldendaden, van een glorieuze strijd die werd gevochten en gewonnen door machtige mannen."

Harald en Ivar tilden hun hoofd op en keken naar Thomas.

Harald knikte. „Ja, dat is goed. We zullen een glorieus gevecht hebben."

Thomas keek omhoog naar zijn eigen pols, waar hij nog net zijn digitale horloge kon zien. Heel binnenkort zou Basra zijn tekst opzeggen, waarna Thomas op moest komen. Thomas greep de droomzijde. „In een land, hier ver vandaan," begon hij op vastberaden toon, „genaamd Jeugdherberg, leefden Hilde, een blauwogige prinses, en haar grootvader..." Thomas wachtte. Was dat genoeg? Hoefde hij ze maar één keer te noemen om ze met zich mee te nemen naar het vikingverhaal in de eenentwintig- ste eeuw?

„Vergeet jezelf niet, zeefhoofd-Thomas," zei een niet- onaardige stem.

„... en Thomas, een varkenshoeder-skald..." voegde Thomas er snel aan toe. Hij keek weer op zijn horloge. De cijfers waren nog niet versprongen. „Wat is er met mijn horloge aan de hand?" mompelde hij vanuit zijn mond- hoek tegen de Droommeester.

„Dit is misschien een verrassing voor je, maar ze hebben geen digitale horloges in de tiende eeuw," antwoordde de dwerg.

„Shit!" riep Thomas. Hij trok zijn horloge van zijn pols en gooide het op de grond.

Zowel Harald als Ivar dook erop af en op hetzelfde mo- ment besefte Thomas dat het stukje droomzijde aan het horlogebandje vastzat.

„Nee!" schreeuwde hij.

Te laat.

Er was een enorm gekraak, een barst, een stroom van

versplinterend wit licht, en toen vielen ze, duikend door de tijdruimte, om met een harde bonk op het veldje van de jeugdherberg te landen.

Harald stond het eerst overeind. „Waar zijn we?" gromde hij. „Hoe heb je ons hier gebracht?"

„Je zit in mijn verhaal," zei Thomas nerveus. Hij stak snel zijn hand uit en pakte het horloge en de droomzijde van hem af. „Je moet doen wat ik zeg," voegde hij er snel aan toe.

„O, daar ben je, Thomas!" Juf Marjan kwam naar hem toe. Ze greep hem bij zijn arm. „Je moet op! Nu!" Ze gaf hem een duwtje, omdat hij aarzelde.

Hildes grootvader stak zijn hand op en sprak juf Marjan aan. „Goede vrouw," begon hij. „Waar zijn we?"

„Bij de jeugdherberg," antwoordde juf Marjan. „En als u hier bent voor het toneelstuk, kunt u beter opschieten en een stoel opzoeken."

Ivar sloeg zijn hand voor zijn ogen en begon te kreunen. Harald gaf een brul.

„Stil, alstublieft," zei juf Marjan streng. „Ga daar op het gras zitten en luister naar het vikingverhaal tot jullie ook op moeten voor het gevecht."

„Een vikingverhaal," herhaalde Harald zorgvuldig. Hij deed zijn helm af en keek verward rond. Daarna wapperde hij met zijn hand voor zijn gezicht. „Droom ik?"

„Ja," knikte Hilde. Ze ging zitten en de rest volgde haar.

Toen Thomas met zijn verhaal begon, greep Hilde haar opa's hand en begon ze die van Harald weg te schuiven. Harald lachte duivels naar haar en stak zijn pols omhoog. Hij had het andere eind van het touw om zijn arm.

Staand voor het publiek kondigde Thomas de prinses aan. Lisa kwam met een zwaai achter het gordijn te voorschijn en begon zich vreselijk uit te sloven.

„O, mijn hemel." Ze lachte onnozel. „Laat iemand me redden van die vreselijke vikingen!"

„Hier is een nobele prinses…" vertelde Thomas.

„Ik dácht het niet," zei Hilde luid.

Lisa keek haar aan. „Jawel. Dat is mijn rol. Ik ben de prinses."

Harald stond meteen op. „Ben jíj de prinses?"

„Ja," zei Lisa heel zeker. „Absoluut. Ik word ontvoerd door de vikingen."

Haralds ogen werden spleetjes. Hij trok zijn mes uit zijn riem en sneed het touw door, waarmee Hildes grootvader aan hem vastzat. Daarna liep hij naar Lisa. „Het maakt me niet uit, ik ruil de ene in voor de andere. Jij ziet er heel wat meegaander uit en je kunt niet veel onaardiger zijn dan die krijsende kat die ik eerder gevangen had genomen."

„Daar zou ik maar niet te hard op rekenen," zei Thomas zacht.

Terwijl Harald op Lisa afstevende, stopte ze ineens met praten en wees naar hem. „Jij hebt mijn hangertje om," zei ze. „Geef dat eens terug."

Harald keek neer op het hangertje om zijn nek. „Dat heb ik gevonden." Toen grijnsde hij kwaadaardig naar haar. „Maar je mag het natuurlijk hebben, als je dat wilt. Kom hier, dan geef ik het aan je."

Lisa liep het podium over.

„O nee!" riep Thomas uit.

Harald greep Lisa en zwaaide haar hoog in de lucht. Daarna gooide hij haar bijna ondersteboven over zijn schouder. Haar gegil duurde lang en klonk zeer angstig. Hij rende naar de paardenkar en gooide haar erin. Hij sprong op de bok, pakte de teugels en reed razendsnel over het veld, waarbij hij Ivar bijna overreed, die probeerde hem te volgen.

Ivar schudde kwaad met zijn vuist. „Verkeersgekken!" schreeuwde hij en hij begon aan de achtervolging.

„Shit," schold Thomas. „Shitterdeshit."

„Ga door met je verhaal, mijn beste varkenshoeder," zei een stem in zijn oor. „Ik zal wel proberen om Lisa Lulmaarraak te redden."

Het publiek klapte en juichte.

„Wat een fantastische spelers," vond juf Marjan. „Die viking zag er zo echt uit!"

Mats knikte. „Hun kostuums zijn echt origineel, maar ze overdrijven wel nogal eens." Hij keek naar Thomas. „Kun je het nog aan?"

„Ik kom een prinses te kort voor het verhaal," antwoordde Thomas.

„Nee, hoor," zei Hilde. Ze stond op en liep naar de voorste rijen van het publiek. „Nu," zei ze eisend, „welke viking denkt dat hij mij gevangen kan nemen?"

„Ik," antwoordde Eddie.

„Ik zou het niet doen, als ik jou was," waarschuwde Thomas.

„Maar jij bent mij niet," lachte Eddie. „Dus ik neem de prinses gevangen." En hij liep naar voren.

Nogal dapper, als het niet zo stom was, dacht Thomas.

Hilde greep een plastic strijdbijl en zwaaide deze met een echoënde klap tegen de zijkant van Eddies hoofd. Hij wankelde en viel neer.

Het publiek schaterlachte.

„Nog iemand?" vroeg Hilde.

Er was alleen wat geschuifel tussen de vikingen, toen de toneelspelers allemaal probeerden zo ver mogelijk van Hilde weg te komen.

„Hou jezelf in de hand!" siste Thomas tegen Hilde. „Het is de bedoeling dat je gevangen wordt genomen!"

„Wie zegt dat?"

„Ik, en ik ben de skald. Dus: of je doet wat ik je zeg, of ik roep Harald terug."

Hilde aarzelde, maar liep vervolgens naar de plek waar Basra stond. „Neem me gevangen," zei ze alsof het een opdracht was.

„Eh…" Basra twijfelde. Hij keek naar Hilde en daarna naar Thomas. „Moet dat?" vroeg hij.

Thomas gooide het kaartje weg, met de aantekeningen die Mats uitgeprint had, en begon erop los te fantaseren…

20

Later, veel later, sjokten Thomas, Hilde en haar grootvader vermoeid langs de rand van een groot bos. Thomas keek opzij. Hoewel de oude man nog niet één keer had geklaagd, was het duidelijk dat hij erg moe was. Het was gisteravond echt heel laat geworden, voor alles ingepakt en opgeruimd was. Hilde en haar grootvader hadden geduldig gewacht, achter een paar bomen langs de rivier, tot Thomas met zijn stukje droomzijde zou komen om te zorgen dat ze weer in veiligheid kwamen. Nu waren ze weer terug in de tiende eeuw – maar waar?

Thomas keek rond. Het pad ging kilometers lang door, zonder dat hij iets van een huisje of zo zag. Hij had heel lang, het leek wel eeuwen, geprobeerd om Noorstad bij elkaar te dromen, zodat ze naar hun eigen stad terug konden. Hij kon hen niet weer mee terug nemen naar de eenentwintigste eeuw. Maar hij kon ook niet gewoon weglopen en de twee aan hun lot overlaten.

„We moeten rusten," stelde hij voor.

Hilde wees. „Daar! Daar kunnen we rusten. Bij de kruising."

„Kruising?" Thomas knipperde. Hij zag geen kruising. Hij zag trouwens bijna niets. Haralds helm was veel te groot voor hem, maar hij vond het leuk om hem op te hebben. Thomas deed de helm af en keek nog een keer. Daar was inderdaad een kruising… was die er een seconde geleden ook al? Hij keek Hilde aan. Ze zond hem een kort lachje.

„Ik kan ook goede verhalen bedenken."

„O," zei Thomas.

„O, zeg dat wel, varkenshoeder-skald."

Bij de kruising konden ze in de verte een stuk water zien liggen, en een rijtje hutten die aan de rand van een stadje stonden.

Hilde hield stil. „Hier gaan onze levens verschillende kanten op, varkenshoeder," zei ze.

Thomas keek haar aan. „Koning Edwin heeft Erik Strijdbijl verslagen in de strijd om Noorstad. De vikingen zullen nu vertrekken, dus zijn jullie niet langer in gevaar. Ik dacht dat je terug wilde naar je familie?"

Hilde schudde haar hoofd. „Ik ga niet terug om weer zo te leven. Als ik terugga naar het huis van mijn oom begint de ruilhandel weer en word ik uitgehuwelijkt aan degene die de hoogste prijs wil betalen. En ik word geen slaaf, van welke man dan ook."

„Wat ga je dan doen?" vroeg Thomas.

„Ik ga weg," zei Hilde. „Vele jaren geleden is mijn

grootvader naar een ver land gereisd, aan de rand van de westerse zee, en hij wilde er altijd naar terug. Sommigen noemen het Vinland. Er groeien vreemde planten en vruchten, en er zijn dingen die wij nog nooit hebben gezien. Het weer is er beter, de zeeën zitten vol vis en reizigers vertellen verhalen over de wonderlijkste dingen, landschappen, grote meren en vallend water." Ze keek Thomas slim aan. „Jij bent ook een reiziger, denk ik. Maar in welke landen jij reist, weet ik niet."

„Ik ook niet, meestal," antwoordde Thomas.

Ze lachte en daarna wees ze op een ruig pad dat tussen de bomen dieper het bos in leidde. „Die weg gaat naar de rivier en naar de schipper die mijn grootvader goed kent. Samen vinden we wel een manier om naar Vinland te reizen, en daar zullen we gaan wonen, zonder dat wie dan ook iets over ons te zeggen heeft."

Thomas schudde zijn hoofd. „Ik kan dat niet toestaan. Dat is veel te gevaarlijk."

Hilde zette haar handen in haar zij. „Ik kan me niet herinneren dat ik jou om toestemming gevraagd heb."

Hildes grootvader grinnikte. „Met haar kun je beter geen ruziemaken, beste jongen. Doe ik ook nooit."

Thomas aarzelde en stak toen zijn hand uit. „Veel geluk."

Na een seconde gaf Hilde hem onwennig een hand. „Veel geluk, varkenshoeder-skald." Ze draaide zich snel om en met haar grootvader aan haar arm begon ze naar het pad te lopen dat het bos in ging. Bij de eerste bomen keek ze om, zwaaide en liep weg.

„Ik hoop dat alles goed met haar gaat," zei Thomas,

terwijl de twee mensen wazig werden en verdwenen in het donker van het woud. „Het is erg dapper van hen om te besluiten om in een vreemd land te gaan wonen."

„Weet je dan niets?" verbaasde de Droommeester zich. „Vinland is Noord-Amerika. Denk eens na… winkelcentra, snelwegen, openluchtbioscopen, trucks die van de oostkust naar de westkust rijden… ze zal het er geweldig vinden."

„Was dat er niet allemaal pas veel later?" merkte Thomas op. „Nu zijn er in Noord-Amerika vijandige stammen en woeste beesten."

De Droommeester zwaaide met zijn cape. „Ik denk niet dat Hilde zich van zulke dingen veel aan zal trekken. Geloof me, zij weet overal wel een plekje voor zichzelf te vinden. Intussen…" hij keek in zijn cape, „kan ik beter Ivar gaan redden."

„Ivar?" herhaalde Thomas. „Ik dacht dat je Harald en hem had meegenomen?"

„Eh… niet precies," zei de dwerg. „Harald heeft het gevecht gemist. Je zou denken dat hij er dankbaar voor was, aangezien hij dus niet is vermoord, maar hij was zo kwaad op me, dat mijn concentratie even verslapte en op dat moment glipte Ivar per ongeluk in een andere tijdruimte."

„Waar is hij dan?" vroeg Thomas.

De Droommeester tuurde in zijn droomcape. „Hij loopt in Disneyland." Hij leunde naar voren en tikte op de vikinghelm. „Vergeet niet om dat ding op een goede plek te begraven," zei hij. Daarna zwaaide hij met zijn cape en verdween.

Thomas liep verder langs de rivier, in de richting van Noorstad, naar het pad waar hij eerder gevangen werd genomen. Toen hij bij de overblijfselen van het verbrande huis van Hildes grootvader kwam, deed hij Haralds helm af en verborg hem in het midden van de berg puin. Daar zou hij veilig zijn. Bijna niemand zou daar zoeken, in ieder geval de komende tijd niet.

21

„Jullie hebben allemaal nog een laatste kans om iets te kopen," kondigde juf Marjan aan toen ze die vrijdagochtend ingepakt en al klaarstonden. „Behalve Eddie en Lisa. Jullie hebben nog wat meer tijd nodig om bij te komen van jullie spannende avontuur. Mats zegt dat de acteurs zich soms een beetje te veel inleven." Juf Marjan keek met bijzonder weinig medeleven naar Eddie en Lisa. „Jullie kunnen mooi een tijdje uitrusten terwijl iedereen in de winkels is en dan kunnen jullie naast ons zitten op de terugweg."

Eddie zei niets. Hij zag er nog steeds een beetje verbijsterd uit, dacht Thomas, maar iedereen zou zich eigenlijk wel behoorlijk wankel voelen, na zo'n klap van Hilde tegen zijn hoofd. Lisa deed haar mond open en sloot hem toen weer. Ze was uitgeput, want ze had vijftien kilometer terug moeten lopen naar de jeugdherberg. Ze had het

over een kleine dwerg in een zwarte cape die de paarden-
wagen had laten stilhouden en daarna volledig verdwenen was – met Harald erbij. Niemand geloofde haar en
bijna niemand luisterde nog naar haar.

„Mooi," zei meester Jan. „We hebben een uur de tijd in
het winkelcentrum en dan gaan we naar huis!"

Iedereen juichte. Het viel Thomas op dat de juf en de
meester het hardst juichten.

En nu hij in het winkelcentrum liep, wist Thomas precies waar hij heen ging. Het vikingmuseum was maar een
paar minuten verderop. Hij kon zijn souvenirs daar
kopen. En… er was iets speciaals dat hij wilde bekijken.

De winkel en het museum waren niet te druk en hij wist
een plekje te vinden voor de vitrine met het hologram van
de helm.

Hij draaide langzaam rond, vlak voor hem. Thomas
vond de helm onbeschrijflijk mooi en nu helemaal niet
bedreigend meer. De gebogen bovenkant, het neusstuk,
de ingewikkelde patronen. Hij deed een stap achteruit om
alles goed te bekijken en botste tegen iemand aan die achter hem stond. Het was een van de museumgidsen die
een paar van de expositieborden aan het vervangen was.

'Recente opgravingen in Canada' stond erop.

„Ze hebben aangetoond dat de vikingen al in Noord-
Amerika waren voor Columbus er arriveerde," vertelde
de gids. „Dit zijn foto's van dingen die ze pasgeleden hebben opgegraven."

Thomas keek naar de panelen van de display. Dus dat
was Vinland, het land van het vallende water en de grote
bomen. Er was een foto bij van een grote kuil met een

groep archeologen rond een viking-graf. Iets aan een van de mensen zag er bekend uit. Thomas keek nog beter naar een jonge vrouw, die daar stond met een vikingstrijdbijl in haar handen. Hij zag haar lichte haar... blauwe ogen. De herkenning raakte hem als een mokerslag. „Hilde!" riep hij uit.

De gids keek Thomas bevreemd aan. „Ken je haar?"

„Ja, nee, nou... misschien," antwoordde Thomas. „Wie is zij?" Hij wees haar aan.

„Dat is Ingrid Hilde, een van de belangrijkste vikingexperts van Canada. We hebben veel contact met haar. Ze gelooft dat haar vorouders uit Noorstad kwamen en eeuwen geleden naar Canada zijn vertrokken. En dat een van haar voorvaders familie was van een prinses."

„Voormoeders," zei Thomas. „Dat was absoluut een voormóéder."

Dus misschien was alles wel waar, dacht Thomas op de terugweg in de bus. Hij keek omhoog naar de stadsmuren, toen ze door de poort reden. En misschien kon je verhalen niet helemaal van de rest onderscheiden. De manier waarop ze verliepen, hing af van wie ze vertelde en wanneer je ze hoorde. Als je hetzelfde verhaal jaren later weer hoorde, dan had je al een herinnering van de eerste keer, diep vanbinnen. Verhalen waren speciaal, ze bewogen als de zee, met diepe stukken en rustige, ondiepe plekken. Elk verhaal was uniek, zo uniek als ieder mens.

Thomas stopte het papiertje met het websiteadres over Vinland diep in zijn borstzakje. Het stukje droomzijde zat veilig opgeborgen in zijn trui, onder in zijn tas. Thomas pakte zijn schrift en zijn pen. Juf Marjan had gezegd dat er prijzen uitgereikt zouden worden voor de beste verhalen die ze schreven over het schoolreisje. Ze had ook gezegd dat het een goed idee was om een verhaal te beginnen met iets wat gebeurde... 'Actie vóór reactie,' noemde ze het. Zorg eerst dat er iets gebeurt en leg daarna maar uit hoe of wat. Of, zoals de Droommeester het zou zeggen, láát het gebeuren. Het verhaal moet zijn eigen weg kunnen volgen.

Dus, dacht Thomas... hij moest eerst proberen om een gebeurtenis te vinden. Als hij nou eens zou beginnen met een uitspraak van iemand? Een verslag van wat mensen zeggen over iets wat gebeurt... iets snels. Bijvoorbeeld iemand in gevaar... mensen die op de vlucht sloegen.

Thomas glimlachte voor zich uit. Hij wist precies hoe zijn verhaal moest beginnen. Hij pakte zijn pen goed vast en begon te schrijven:

„Doorlopen!" schreeuwde het meisje...

Ken je het eerste avontuur van
Thomas en de Tijdmantel al?

Dat boek heet:

Een farao in de klas

Op de volgende bladzijden
kun je alvast een stukje lezen.

1

„Z'n kop d'r af!"

De hogepriester van de machtige farao hief zijn hand en gaf het signaal aan de beul, die het bevel afwachtte.

Thomas hapte naar adem toen het doodvonnis werd uitgesproken. Hij zou snel moeten handelen om het leven van zijn vriend te redden.

De beul stapte uit de schaduw van de piramide en liep naar voren. Hij hief het gekromde zwaard. Het weerkaatste de stralen van de middagzon. Een seconde lang was iedereen verblind door de felle schittering.

Iedereen behalve Thomas, die zag dat hij een kans had. Zonder te aarzelen galoppeerde hij over het harde zand. „Sta op!" riep hij. „Ik kom eraan!"

De jongen die geknield op de grond zat, deed zijn hoofd omhoog. Zijn grote, bruine ogen keken Thomas doodsbang aan. „Thomas!" schreeuwde hij. „Ik wist dat je me zou komen halen!" Hij krabbelde overeind.

Achter zich hoorde Thomas een woedende schreeuw en hij spoorde zijn paard aan. Maar onder hem veranderde het zand. Het bewoog onder de hoeven van zijn paard en het werd steeds dieper. Thomas leunde voorover naar de jongen die op hem af kwam rennen. Net toen zijn vingers die van Thomas raakten, struikelde het paard in het zand. Thomas greep de manen van het paard met zijn beide handen vast, maar het was tevergeefs. Het paard steigerde, sprong naar voren en toen viel Thomas... hij viel en viel, in een enorme hoop zand. Overal was zand: in zijn mond, ogen en oren. Hij hoorde in de verte zijn vriend roepen: „Help! Help!"

Het zand om Thomas heen loste op tot stof. Hij lag met zijn armen en benen wijd onder aan de helling en zag hoe de Egyptische woestijn begon te verdwijnen.

„O nee!" kreunde Thomas. Zo ging het nou altijd bij een goede droom. Hij werd precies op het beste moment wakker. Anders, als het een rotdroom was, kon hij juist niet wakker worden als hij dat wilde. Dan moest hij de grote gevaren in zijn droom zien te overleven.

Maar nu niet, dacht hij boos. Deze keer, juist toen het spannend werd, en hij net iets slims en heldhaftigs ging doen, verdween alles weer. Het was niet eerlijk! Hij greep kwaad naar de wegglijdende droom.

En... iets anders greep hem. Hij werd aan zijn T-shirt achteruit getrokken. Van achter de Droomwereld trok een macht aan hem. Thomas hield zich stevig vast.

„Laat los!" siste een stem in zijn oor.

„Echt niet! Dit is míjn droom en ik hou hem."

„Correctie. De droom is van mij. *Ik* ben de Droommeester."

„Wie?" Hij keek om zich heen. „En waar ben je dan?"

„Hier, jij… jij… walgelijke, alledaagse aardbolbewoner!"

Wat het ook was dat aan hem trok, het liet ineens los en Thomas schoot naar voren door de mist, weer regelrecht zijn droom in.

„Acht stotterende schorpioenen! Kijk nou wat je doet!"

Thomas keek. Hij was terug in zijn Egyptische droom, maar die was niet bepaald dezelfde. Om te beginnen waren de beelden heel erg vaag en het licht veranderde steeds, van fel tot bijna donker. En zijn paard… zijn paard! Hij kon het bijna zien, maar net niet. Thomas fronste zijn wenkbrauwen, probeerde zich te herinneren hoe het eruit had gezien. Het was een zwart paard, een volbloed arabier. En, net zoals Thomas het zich herinnerde, kwam het paard glanzend weer tot leven.

„O," riep hij uit toen hij besefte wat er gebeurde. „Als ik ergens aan denk… verschijnt het."

„Nee," zei de stem achter hem. „Nee. Nee. Nee!"

Thomas draaide zich om. Een klein mannetje zat in kleermakerszit in het zand naar hem te kijken. Hij had een cape van roodachtige zijde om zich heen.

„Nee. Negatief. *Njet*," zei de dwerg. „Je droom is afgelopen. Einde. *Kaput. Finished. Finito.* Weg." Hij hield zijn cape omhoog. „Zie je wel, je kijkt er bijna doorheen. Alles is aan het vervagen." Hij stond op. „Je beseft niet wat je hebt gedaan, hè?" spuwde hij. „Dromen horen in je hoofd te zitten, donderkop. Niet andersom. Jij hebt jezelf *in je eigen droom* getrokken. Dat is tegen alle regels in."

7

„Welke regels? Ik wist niet dat er regels waren."

„Er zijn altijd regels." De dwerg ging weer zitten en deed zijn armen over elkaar. „Hoe dan ook, het maakt niet uit. *Ik* ben de Droommeester. Wat ik zeg, gebeurt. En ik zeg dat deze droom weg is, dus hoepel op."

„Nee." Thomas ging zitten en deed ook zijn armen over elkaar. „Het is mijn droom. En ik wil hem afmaken, en, en…" Hij concentreerde zich heel hard en keek weer omhoog. „Ik zou maar wegwezen als ik jou was. Het complete Egyptische leger verzamelt zich achter je."

„Neem een ander in de maling." De Droommeester bleef zitten, vastbesloten, met zijn armen over elkaar, maar Thomas zag dat zijn linker wenkbrauw een heel klein beetje trilde.

„Zeg niet dat ik je niet gewaarschuwd heb." Thomas voegde er een paar geluidseffecten aan toe.

„Zeer indrukwekkend," zei de Droommeester sarcastisch, wegspringend om niet vertrapt te worden.

„Ja, dat dacht ik ook," zei Thomas, terwijl hij de wagens, ruiters en boogschutters zag verdwijnen over een zandduin. Hij was behoorlijk opgelucht dat hij had opgelet tijdens geschiedenis, toen juffrouw Marjan de legers van koning Toetanchamon uit het Oude Egypte beschreef.

De Droommeester schudde het zand uit zijn haar. „Je moet nu echt wakker worden. Luister."

Thomas luisterde.

„Thomas. Thomas!" riep een stem.

Thomas gromde. Het was zijn moeder die hem riep om op te staan omdat hij naar school moest.